Tout va bien !

1

Méthode de français

LIVRE DE L'ÉLÈVE

CLE INTERNATIONAL

Coordination éditoriale : Agnès Jouanjus
Direction éditoriale : Sylvie Courtier
Pour la présente édition : Martine Ollivier

Conception graphique : Zoográfico
Couverture : Avis de passage

Dessins : Jaume Gubianas, Bartolomé Seguí, Zoográfico, Jean-Paul Aussel
Cartographie : Latitude-Cartagène

Photographies : Sabater; J. C. Muñoz; J. Jaime; J. L. G. Grande; J. M. Escudero; Krauel; M. Moreno; A.G.E FOTOSTOCK */Photex Sanners, Fabio Cardoso, Gary A. Conner,* HPM, *Ian Sanderson, Frank Sitema, Jonnie Miles, Werner Otto, Atlantide* S.N.C., *James King-Holmes;* A1PIX*;* ACTIVE STOCK FOTOS/VISA IMAGE; CONTACTO; CORDON PRESS/ *Reuters New Media Inc/Corbis;* COVER/SYGMA/O. *Baumgartner, Philippe Giraud;* COVER/CORBIS/*Jack Fields/CORBIS, Gail Mooney, Chris Lisle, Matias Nieto Koenig, Bettmann, TempSport, Nik Wheeler, Setboun, Wolfgang Kaehler, Richard Bickel, Dave G. Houser, Robert Colmes Tim , Owen Franken;* CORBIS/SYGMA/GUIBBAUD/ALAMO,DIGITALVISION; EFE/M. *Rajmil;* EFE/AP PHOTO/Laurent Rebours; EFE/SIPA SANTÉ/AP-HP; EFE/SIPA-PRESS/F. Durand, Stuart Conway; ESTUDIO TRECE POR DIECIOCHO; GETTY IMAGES/Mel Curtis; MARCO POLO/ *Reperant-Hoaqui, Gable / Jerrican, Vaisse-Hoaqui, Guy Durand, F. Bouillot, N. Delauzière / Camille Moirenc, Bouillot;* MUSEUM ICONOGRAFÍA/*The Bridgeman Art Library;* PHOTODISC; STOCK PHOTOS/*Alan Schein Photography*/CORBIS; HÔPITAL POVISA; *J. Carli;* MATTON-BILD; MUSÉE DE LA VILLE, MADRID; SERIDEC PHOTOIMAGENES CD; ARCHIVES SANTILLANA

Recherche iconographique : Mercedes Barcenilla
Coordination artistique : Carlos Aguilera
Direction artistique : José Crespo
Correction : Brigitte Faucard-Martínez, Anne-Sophie Lesplulier
Coordination technique : Jesús Á. Muela

Nos remerciements à Zoe Romero, pour sa collaboration.

ISBN : 978-2-09-035290-0

TABLE DES MATIÈRES

✔ TOUT VA BIEN ! est une méthode pour adultes et grands adolescents, débutants ou faux débutants.

✔ Elle est prévue pour 130 heures de cours environ, soit de 8 à 10 heures par leçon.

✔ Conçue pour un enseignement en groupe-classe, elle laisse une large part à l'apprentissage individualisé en autonomie, en particulier grâce au cahier d'exercices et au *Portfolio* qui accompagne le livre de l'élève.

✔ Elle suit un découpage régulier : 6 unités de 2 leçons chacune, 6 bilans, 3 projets.

OBJECTIFS ET CONTENUS

TOUT VA BIEN ! vise l'acquisition d'un niveau de communication minimal en français. Les objectifs de la méthode ont été déterminés à partir du **Cadre européen commun de référence**.
Ils reprennent dans leur totalité les objectifs et les contenus qui correspondent au niveau *Percée* ou A1 et au niveau *Survie* ou A2. Les étapes sont clairement définies. L'apprenant pourra se situer dans son apprentissage et acquérir une autonomie progressive : une récapitulation et un bilan sont à faire après chaque unité. Il disposera aussi toutes les deux unités d'une activité spécifique qui lui permettra de *faire le point*.

COMPÉTENCES

TOUT VA BIEN ! insiste particulièrement sur l'acquisition d'une compétence de communication en français. Elle propose un travail rigoureux et systématique qui porte soit sur une compétence isolée, soit sur plusieurs simultanément. Par ce travail, l'apprenant crée ses propres stratégies de compréhension et d'expression.

OUTILS

• **Les documents et les projets répondent à trois critères :**
- proposer des situations de communication dans lesquelles l'apprenant peut se trouver ;
- le sensibiliser aux registres de langue grâce à des supports authentiques ou proches de l'authentique ;
- stimuler sa motivation et éveiller sa curiosité pour la culture francophone autant que son intérêt pour la langue.

• **Les activités, explications et exercices répondent aux critères suivants :**
- diversification en fonction du profil des apprenants : varier les approches facilite l'apprentissage et l'assimilation des points traités ;
- progression en spirale : l'étudiant découvre et réutilise les éléments présentés ;
- variété des modes de travail : les activités de classe se font, soit avec le groupe-classe dans son ensemble, soit en petits groupes, soit individuellement.

• **Les conseils, stratégies, bilans et mises au point visent un objectif essentiel :**
- autonomisation de l'apprenant et, en particulier, auto-évaluation des compétences et de l'apprentissage.

• **Le Portfolio et le passeport qui accompagnent le livre servent à l'apprenant à :**
- prendre conscience de son parcours individuel par compétences ;
- attester de son profil linguistique.

COMPOSITION DU LIVRE DE L'ÉLÈVE

- 1 unité 0
- 6 unités de 2 leçons
- 3 projets (la leçon 12 fait office de 3e projet)
- 6 bilans
- 1 précis grammatical
- un tableau de conjugaisons
- la transcription des enregistrements non transcrits dans les leçons

Organisation d'une leçon

UNITÉ 4 Le temps qui passe

Un première page présente les objectifs et les contenus de l'unité (2 leçons).

U4 L8 SITUATIONS

Situation 1 > Bulletins météorologiques

Situation 2 > Débat : pour ou contre la mode actuelle ?

La double page « situations » présente les contenus de la leçon en contexte à travers 2 documents enregistrés et permet un entraînement à la compréhension orale.

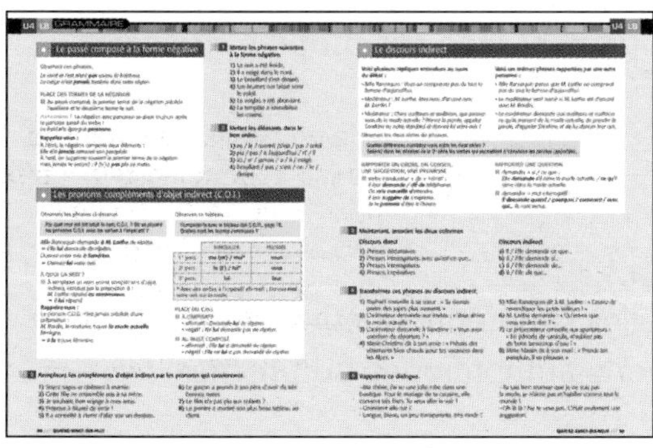
U4 L8 GRAMMAIRE

Le passé composé à la forme négative

Le discours indirect

Les pronoms compléments d'objet indirect (C.O.I.)

La double page « grammaire » propose une étude de la langue à partir de son observation et d'exercices d'application.

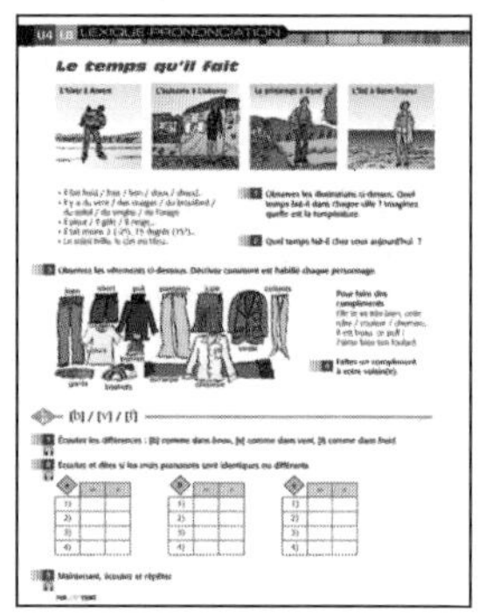
U4 L8 LEXIQUE PRONONCIATION

Le temps qu'il fait

La page « lexique / prononciation » reprend et enrichit le vocabulaire et propose un travail de reconnaissance et de répétition des sons.

CIVILISATION U4

Petite histoire de France en images

Une page « civilisation » permet de découvrir quelques aspects socioculturels de la France et du monde francophone.

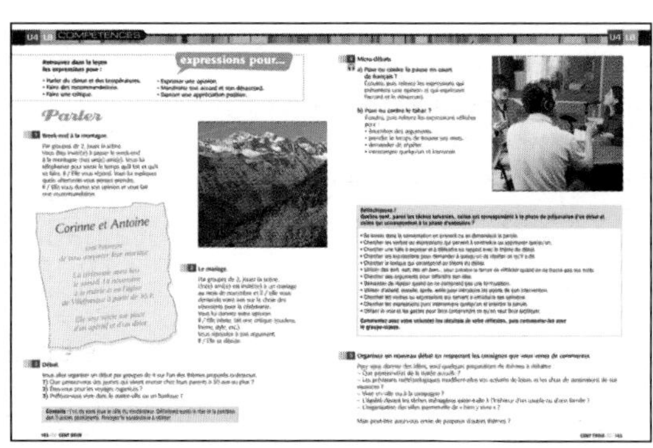
U4 L8 COMPÉTENCES

expressions pour...

Parler

Corinne et Antoine

4 pages d'activités sont conçues pour permettre à l'élève de s'approprier la langue : expression orale, compréhension et production écrites sont précédées d'une récapitulation des principaux actes de parole de la leçon.

Les unités diffèrent légèrement en fonction de la progression naturelle des élèves :

- les unités 1 et 2 contiennent 1 double page appelée « ouverture », en début de chaque leçon, destinée à développer la compréhension orale globale.
- Dans les leçons suivantes, les doubles pages « ouverture » disparaissent et sont remplacées par 1 double page « compétences ».

À la fin de chaque unité, une double ÉVALUATION

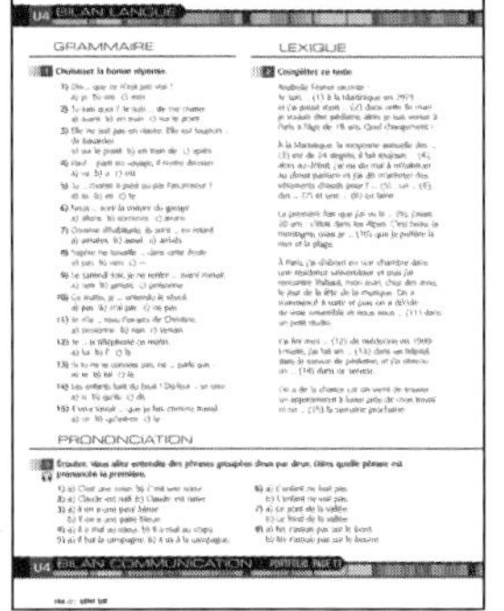

La page de vérification des connaissances « bilan langue » contient des exercices de grammaire, de lexique et de prononciation.

Elle est complétée par 2 pages de « bilan communication » situées dans le PORTFOLIO.

LE COMPAGNON INDISPENSABLE DU LIVRE : LE PORTFOLIO

Inspiré du portfolio du **Cadre européen commun de référence pour les langues**, ce petit livret personnalisé permet à l'étudiant de suivre de manière active sa progression pour chaque compétence communicative.

Organisation du PORTFOLIO

En début d'apprentissage, l'élève personnalise son PORTFOLIO (2 pages).

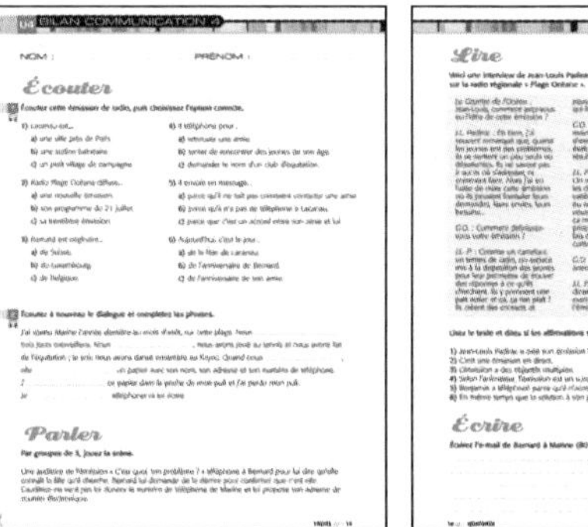

À la fin de chaque unité, le « bilan communication » offert dans le PORTFOLIO vient compléter le « bilan langue » du livre et propose des activités d'évaluation des 4 compétences : écouter, parler, lire et écrire.

Toutes les 2 unités, grâce à « faire le point » l'étudiant peut faire une auto-évaluation en termes de savoir-faire.

2 pages de « passeport » aideront l'étudiant à se situer par rapport aux niveaux A1 et A2 du Cadre européen commun de référence que TOUT VA BIEN ! 1 permet d'atteindre.

POUR L'ÉTUDIANT : CAHIER D'EXERCICES + CD audio.

POUR LA CLASSE ET LE PROFESSEUR : LIVRE DU PROFESSEUR + CD audio.

TABLEAU DES CONTENUS

	COMMUNICATION	GRAMMAIRE
UNITÉ 0	▸ Saluer ▸ Épeler ▸ Compter ▸ Dire un numéro de téléphone	
UNITÉ 1	▸ Échanges formels et informels ▸ Interlocuteurs (nombre, sexe, âge, caractéristiques de la voix) ▸ Salutations et formules de politesse ▸ *Tu* ou *vous* ▸ Description de personnes et d'objets ▸ Petites annonces ▸ Enquête	▸ Pronoms personnels sujets ▸ Verbes en *-er* à 1 ou 2 bases ▸ *Être* et *avoir* ▸ Articles définis et indéfinis ▸ Négation (1) ▸ Genre des adjectifs ▸ *C'est / Il est*
UNITÉ 2	▸ Échanges directs, formels et téléphoniques ▸ Formules pour le téléphone ▸ Mise en relation locuteur / message ▸ Commentaires d'activités quotidiennes, de loisirs et de vacances ▸ Articles de presse (journal et revue)	▸ Présent des verbes en *-ir(e), -tre, -dre, prendre, venir, pouvoir* et verbes en *-evoir, faire* ▸ Pluriel des noms et des adjectifs ▸ Formes interrogatives ▸ Pronoms toniques ▸ Adjectifs possessifs ▸ Articles contractés ▸ Futur proche
PROJET 1		
UNITÉ 3	▸ Échanges formels (tourisme 1 et 2) ▸ Registre standard ▸ Formules de politesse ▸ Formulation de conseils ▸ Descriptions et commentaires de lieux et d'activités touristiques ▸ Brochure touristique ▸ Carte postale amicale, lettre	▸ Impératif (affirmatif et négatif, verbes pronominaux) ▸ Situation dans l'espace (1 et 2) ▸ Passé récent ▸ *On* impersonnel ▸ Adjectifs démonstratifs ▸ Pronoms C.O.D. ▸ Expression de l'obligation
UNITÉ 4	▸ Conversation amicale et monologue ▸ Émission radiophonique ▸ Registres familier et standard, affectivité ▸ Critique, accord, désaccord ▸ Commentaires (phénomènes sociaux) ▸ Biographie ▸ Lettre amicale narrative	▸ *Être en train de* + infinitif ▸ *Être sur le point de* + infinitif ▸ Passé composé (formes affirmative et négative) ▸ Négation (2) ▸ Pronoms C.O.I. ▸ Discours indirect
PROJET 2		
UNITÉ 5	▸ Dialogues formels (relations marchandes 1 et 2) ▸ Registre standard ▸ Goûts, préférences, conseils, choix ▸ Comparaison, appréciation ▸ Commentaires (état de santé) ▸ Test, enquête, texte informatif	▸ Quantité précise et imprécise ▸ Partitifs ▸ Adverbes de quantité ▸ Pronom complément d'objet *en* ▸ Comparaison ▸ Pronoms adverbiaux de lieu *en* et *y*
UNITÉ 6	▸ Dialogue formel (relations marchandes 3) ▸ Registre standard ▸ Messages téléphoniques ▸ Texte spécialisé	▸ Futur simple ▸ Pronoms relatifs *qui, que, où*
PROJET 3		

LEXIQUE	PRONONCIATION	CIVILISATION	
▶ Jours de la semaine ▶ Mots de la classe			U0
▶ École ▶ Nationalités ▶ Description physique et psychologique ▶ Couleurs	▶ Accent tonique ▶ Relation son / graphie : finale des mots	▶ Géographie physique ▶ Démographie de la France ▶ France des régions	U1
▶ Heure ▶ Activités quotidiennes ▶ Moments de la journée ▶ Famille ▶ Professions ▶ Activités de loisir ▶ Saisons	▶ Intonations interrogative et affirmative ▶ Opposition voyelles orales / nasales	▶ Pays francophones européens ▶ Festivités dans les pays francophones européens	U2
			P1
▶ La ville et son organisation ▶ Organismes officiels et monuments ▶ Moyens de transport ▶ Maison ▶ Environnement ▶ Adjectifs ordinaux	▶ Voyelles [y] / [u] / [i] ▶ Relation sons / graphies : [e] / [ɛ] / [ø]	▶ Pays francophones ▶ Francophonie	U3
▶ Événements de la vie ▶ Études ▶ Carrière professionnelle ▶ Marqueurs temporels ▶ Temps et climat ▶ Vêtements	▶ [ɛ] / [œ] / [ɔ] ▶ [b] / [v] / [f]	▶ Un peu d'histoire (1) et (2)	U4
			P2
▶ Alimentation ▶ Restaurant ▶ Achats divers (habillement, santé, argent, courrier)	▶ Opposition [ʃ] / [ʒ] ▶ Opposition [s] / [z]	▶ Pour boire et manger en France ▶ Quelques curiosités bien françaises	U5
▶ Services (transports, hôtel, station-service)	▶ Consonnes fricatives	▶ Sites à visiter dans les pays francophones	U6
			P3

UNITÉ 0 Premiers contacts

OBJECTIFS

- Prendre contact.
- Connaître l'alphabet et épeler.
- Découvrir des noms de villes françaises.
- Connaître les jours de la semaine.
- Compter.
- Utiliser des expressions en français pour se faire comprendre en classe.
- Commencer à utiliser le portfolio.

1 Écoutez. Dans quelle langue sont ces phrases ?

	français	espagnol	anglais	portugais	italien
1)	❑	❑	❑	❑	❑
2)	❑	❑	❑	❑	❑
3)	❑	❑	❑	❑	❑
4)	❑	❑	❑	❑	❑
5)	❑	❑	❑	❑	❑
6)	❑	❑	❑	❑	❑

2 Salutations. Écoutez comment on dit.

3 Écoutez l'alphabet.

SOPHIE BERNARD © EDITIONS CARTES D'ART

4 Pour épeler. Écoutez l'enregistrement.

–Votre nom et votre prénom, s'il vous plaît.
–Matuzewski Natacha.
–Vous pouvez répéter, s'il vous plaît ?
–Matuzewski Natacha.
–Votre nom, comment ça s'écrit ?
–Matuzewski, M-A-T-U-Z-E-W-S-K-I.
–Ah oui ! Merci.

POUR ÉPELER

JEAN-MARC : J-E-A-N trait d'union M-A-R-C	ANNE : A-2N-E
é : *e* accent aigu	ë : *e* tréma
è : *e* accent grave	ç : *c* cédille
ê : *e* accent circonflexe	l' : *l* apostrophe

5 Écoutez et notez les lettres que vous entendez. Dites le nom des villes qui apparaissent.

6 Par groupes de 2, à tour de rôle, vous épelez le nom et le prénom d'une personnalité francophone, votre voisin(e) écrit sous la dictée et trouve de qui il s'agit.

7 Associez ces sigles à leur signification.

1) S.N.C.F.
2) S.V.P.
3) T.V.A.
4) V.O.
5) V.T.T.
6) R.D.V.
7) T.G.V.
8) R.E.R.

a) taxe à la valeur ajoutée
b) version originale
c) rendez-vous
d) vélo tout terrain
e) Société nationale des chemins de fer français
f) train à grande vitesse
g) s'il vous plaît
h) réseau express régional

8 Écoutez et répétez les jours de la semaine.

lundi jeudi mardi mercredi
vendredi dimanche samedi

On a cours quel jour ?

9 Écoutez et répétez les nombres, puis complétez les séries.

0 zéro
1 un
2 deux
3 trois
4 quatre
5 cinq
6 six
7 sept
8 huit
9 neuf
10 dix
11 onze
12 douze
13 treize
14 quatorze
15 quinze
16 seize
17 dix-sept
18 dix-huit
19 dix-neuf
20 vingt

21 vingt et un
22 vingt-deux
23 ... 29
30 trente
31 trente et un
32 trente-deux
33 ... 39
40 quarante
41 quarante et un
42 quarante-deux
43 ... 49
50 cinquante
51 ... 59
60 soixante
61 ... 69
70 soixante-dix
71 soixante et onze
72 soixante-douze
73 ... 79
80 quatre-vingts
81 quatre-vingt-un

82 quatre-vingt-deux
83 ... 89
90 quatre-vingt-dix
91 quatre-vingt-onze
92 quatre-vingt-douze
93 ... 99
100 cent
101 cent un
102 cent deux
112 cent douze
124 cent vingt-quatre
200 deux cents
236 deux cent trente-six
499 quatre cent quatre-vingt-dix-neuf
1000 mille
2004 deux mille quatre
3643 trois mille six cent quarante-trois

10 Écoutez et lisez. Pour donner un numéro de téléphone vous dites...

01 45 77 35 98 : zéro un • quarante-cinq • soixante-dix-sept • trente-cinq • quatre-vingt-dix-huit
91 429 36 04 : quatre-vingt-onze • quatre cent vingt-neuf • trente-six • zéro quatre
06 89 29 72 15 : zéro six • quatre-vingt-neuf • vingt-neuf • soixante-douze • quinze

11 Écoutez et notez les numéros de téléphone des endroits suivants.

1) le Service Vélocations de Strasbourg
2) l'Université de Provence
3) l'Aéroport de Paris-Orly
4) l'Office de Tourisme de Lyon
5) la Gare routière de Nîmes
6) Aix-Taxis

12 Se faire comprendre en classe. Observez le dessin et lisez les phrases.

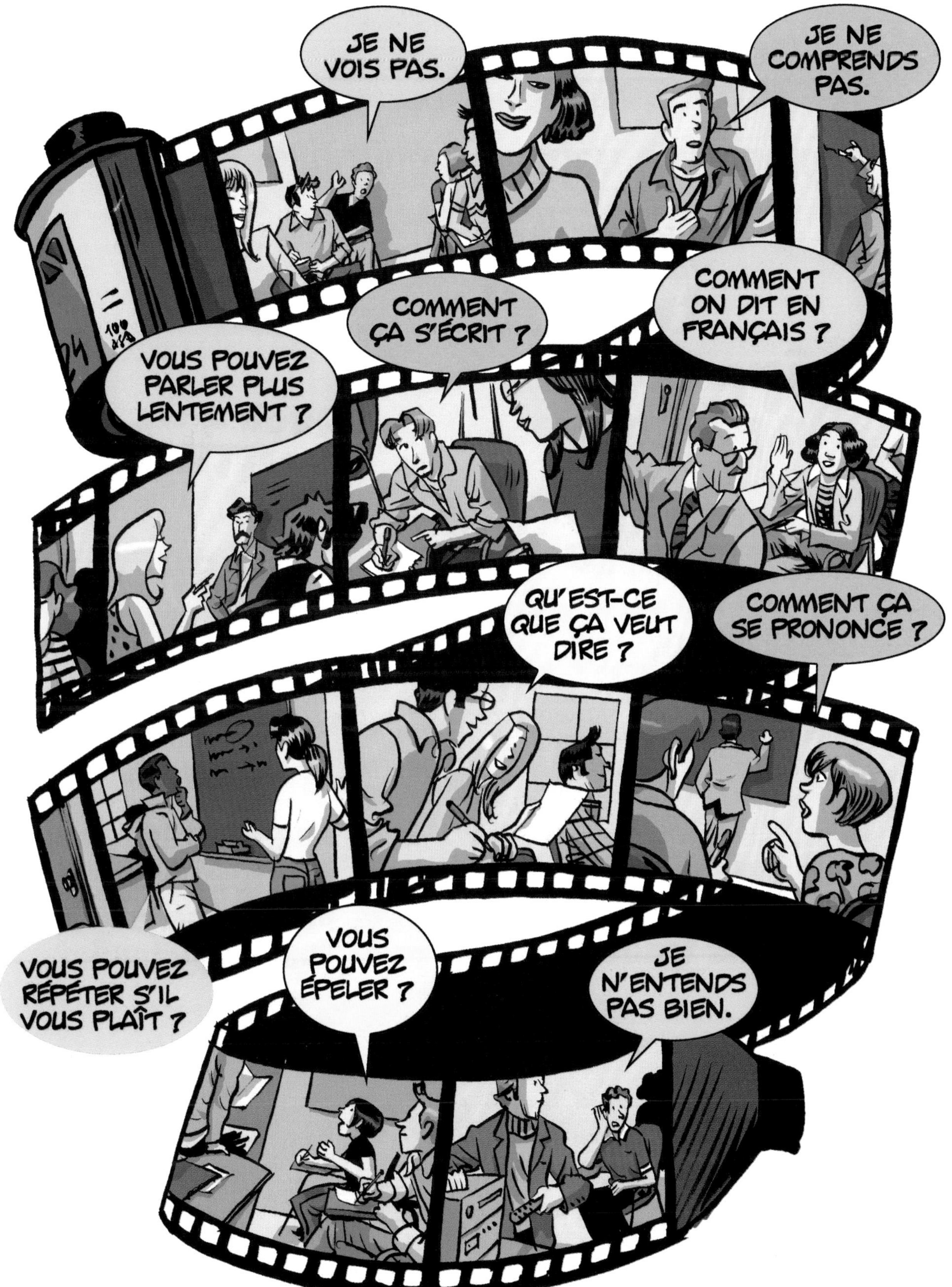

JE NE VOIS PAS.
JE NE COMPRENDS PAS.
VOUS POUVEZ PARLER PLUS LENTEMENT ?
COMMENT ÇA S'ÉCRIT ?
COMMENT ON DIT EN FRANÇAIS ?
QU'EST-CE QUE ÇA VEUT DIRE ?
COMMENT ÇA SE PRONONCE ?
VOUS POUVEZ RÉPÉTER S'IL VOUS PLAÎT ?
VOUS POUVEZ ÉPELER ?
JE N'ENTENDS PAS BIEN.

13 Maintenant, écoutez les phrases. Dans quel ordre est-ce que vous les entendez ?

14 Apprendre le français... pour quoi faire ?

Commencez à utiliser le portfolio. Lisez la première page et répondez aux questions.

UO

Apprendre le français... pour quoi faire ?

Trouver plus facilement du travail

Se distraire

Lire la presse

Avoir un meilleur curriculum

Surfer sur Internet

Voyager dans un pays francophone

Continuer à apprendre

Voir des films en V.O.

Lire des livres sans traduction

Acquérir une compétence professionnelle complémentaire

1 Entourez les trois objectifs qui sont les plus importants pour vous.

2 Par groupes de 4, commentez et comparez vos objectifs.

3 Pour ces objectifs, quelles sont vos priorités ?

a) Comprendre la langue orale
b) Comprendre la langue écrite
c) Parler
d) Écrire

2 //// DEUX

UNITÉ 1

Les gens

OBJECTIFS

- Utiliser le français comme moyen de communication dans la classe.
- Comprendre des consignes, des questions, des dialogues et textes courts.
- Saluer et se présenter.
- Se décrire et décrire des personnes.
- Poser des questions personnelles à quelqu'un (nationalité, état civil, etc.) et répondre au même type de questions.
- Écrire des textes courts.
- Découvrir la géographie de la France.
- Utiliser des stratégies d'apprentissage : de compréhension globale et sélective, de mémorisation et d'auto-évaluation.

L1 LEÇON 1

COMMUNICATION
- Échanges informels
- Interlocuteurs (nombre, sexe, âge)
- Salutations et formules de politesse
- Petites annonces

GRAMMAIRE
- Pronoms personnels sujets et verbes en *-er*
- *Être* et *avoir*
- Articles

LEXIQUE
- L'école
- Nationalités

PRONONCIATION
- Accent tonique

CIVILISATION
- Géographie physique
- Démographie de la France

L2 LEÇON 2

COMMUNICATION
- Échanges formels et informels
- Interlocuteurs (caractéristiques de la voix)
- *Tu* et *vous*
- Description personnes / objets
- Enquête

GRAMMAIRE
- Verbes en *-er*
- Négation (1)
- Genre des adjectifs
- *C'est / Il est*

LEXIQUE
- Description physique et psychologique
- Couleurs

PRONONCIATION
- Relation son / graphie : la finale des mots

CIVILISATION
- France des régions

Au bar de la fac

1 Observez l'illustration, puis écoutez l'enregistrement. Associez chaque dialogue avec le groupe de personnages correspondant. Attention : il y a 5 dialogues et 6 groupes de personnages.

2 Qu'est-ce qui vous a aidé(e) à associer les groupes de personnages aux dialogues ?

1) Le dessin.
2) Les voix (féminines ou masculines).
3) Le nombre de personnages (chaque personnage a une voix différente).
4) Les mots qui sont presque identiques dans votre langue maternelle.
5) D'autres moyens.

Dialogue 1

- Tu es inscrit ?
- Non. Le secrétariat est fermé.

Dialogue 2

- Tu as le livre de première année ?
- Oui, regarde. Et j'ai aussi un stylo et le cahier d'exercices !
- Oh ! Quel étudiant sérieux !

Dialogue 3

- Regarde la fille, là-bas, elle est super, hein !
- Où ?
- Là-bas, la brune !
- Tu la connais ?
- Un peu. Elle est espagnole. Elle s'appelle Maria.
- Elle parle français ?
- Très bien ! Mais, attention ! Elle a un petit ami !

Dialogue 4

- Eh Rémi !
- J'arrive !
- Je te présente Pauline, une amie. Et voici Rémi, un bon copain !
- Ah, bonjour Pauline ! Tu vas bien ?
- Très bien ! Je viens chercher Nathalie. On va au cinéma.
- Tu viens avec nous ?
- Je regrette mais moi, j'ai cours.
- Alors, au revoir Rémi ! Travaille bien.

Dialogue 5

- Dans quelle salle tu es ?
- Moi, je suis en salle sept.
- Oh, super, moi, je suis en salle huit, à côté !
- Nous sommes voisines !

3 Comparez vos réponses avec votre voisin(e).

4 Vérifiez vos réponses avec la transcription.

5 Réécoutez les dialogues avec la transcription.

Situation 1 > Premier cours

1 Écoutez et choisissez l'option correcte.

1) On entend parler...
   a) deux personnages.
   b) trois personnages.
   c) quatre personnages.

Qui ?

2) Les personnages sont...
   a) masculins et féminins.
   b) uniquement féminins.
   c) uniquement masculins.

Qui ?

3) Les personnages qui parlent sont...
   a) tous des étudiants.
   b) un étudiant et des professeurs.
   c) des étudiants et un professeur.

Qui ?

4) Les personnages sont...
   a) dans une cafétéria.
   b) dans une classe.
   c) dans un endroit indéterminé.

Où ?

5) Ils parlent...
   a) des vacances.
   b) des professeurs en général.
   c) du professeur et des étudiants de la classe.

Quoi ?

6) Qu'est-ce qu'ils font ?
   a) Le professeur présente les étudiants.
   b) Le professeur se présente.
   c) Les étudiants présentent leur professeur.

Quoi ?

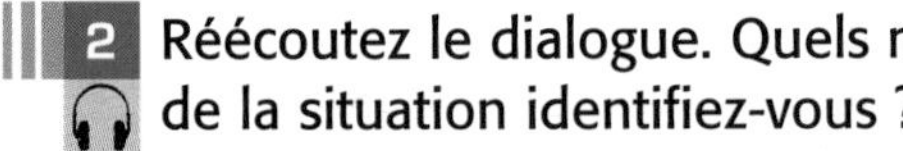

2 Réécoutez le dialogue. Quels mots de la situation identifiez-vous ?

- Salut ! Je m'appelle Aïcha et toi ?
- Moi, c'est Bruno ! Dis, tu connais l'étudiant blond, là-bas ?
- Le garçon, à côté de la porte, le grand ? Oui, il est très sympa ! Et les deux filles aussi.
- Et la prof, tu la connais ?
- Aussi, oui, elle est belge, elle est très amusante. Eh, regarde !
- Qui est-ce ? C'est la prof ?
- Bonsoir ! Je me présente : je suis madame Bertier ! Je suis votre professeur et... je suis très contente de vous connaître ! Et vous, qui êtes-vous ?

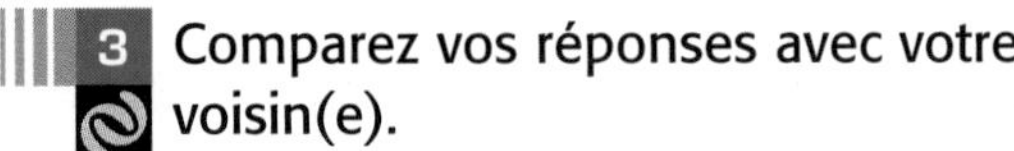

3 Comparez vos réponses avec votre voisin(e).

4 Vérifiez vos réponses avec la transcription.

5 Maintenant, par groupes de 3, mémorisez et jouez la scène.

Situation 2 > À l'école de langues

1 **Écoutez plusieurs fois le dialogue, puis dites si c'est vrai ou faux.**

1) On entend parler trois personnages.
2) Deux personnages se connaissent.
3) Un des étudiants n'aime pas son professeur.
4) Les étudiants ne connaissent pas Jean Martin.
5) Une jeune fille cherche Jean Martin.
6) Jean Martin travaille à la cafétéria.
7) Jean Martin est à la cafétéria avec le directeur.
8) Jean Martin est le secrétaire du directeur.
9) La jeune fille parle finalement avec Jean Martin.
10) Résumé : deux garçons indiquent à une jeune fille où se trouve le secrétaire du directeur. Elle va à la cafétéria et elle parle avec lui.

2 **Vérifiez vos réponses avec la transcription.**

3 **Par groupes de 3, mémorisez et jouez la scène.**

4 **Jouez la scène : présentez Pierre Laporte, concierge.**

- Tu es content du prof ?
- Bof ! Il n'est pas mal !
- Excusez-moi, je cherche Jean Martin, vous le connaissez ?
- Moi, non. Et toi, Bertrand ?
- Jean Martin ? Mais oui, je le connais ! Et toi aussi ! Il travaille au secrétariat ! C'est le secrétaire du directeur !
- Ah bon, c'est lui ! Eh ben, il est à la cafétéria !
- Comment est-il, s'il vous plaît ?
- Jeune, 30 ans à peu près ; il est grand, châtain et... il parle avec deux messieurs !
- Merci beaucoup ! Au revoir !

- Excusez-moi, vous êtes Jean Martin ?
- Oui, oui, c'est moi !
- Bonjour monsieur ! Vous avez un moment, s'il vous plaît ?
- Mais oui, mademoiselle ! Avec plaisir !

pronoms personnels sujets et présent des verbes en *-er*

	SINGULIER	PLURIEL
1re personne	**je** parle	**nous** parl**ons**
2e personne	**tu** parl**es**	**vous** parl**ez**
3e personne	**il/elle** parle	**ils/elles** parl**ent**
je / j' devant voyelle ou *h* muet	j'aime	j'habite ici

PRONONCIATION

- La liaison permet de distinguer les 3e personnes du singulier et du pluriel des verbes commençant par une voyelle ou *h* muet :
  elle aime - elles_aiment
  il habite ici - ils_habitent là

LES PRONOMS SUJETS

- Le pronom sujet accompagne toujours le verbe. C'est souvent la seule façon de savoir de qui on parle : quatre personnes se prononcent de la même manière !
  je, tu, il/elle, ils/elles [paRl]
- ***Vous*** correspond à *tu + tu* ou à une forme de politesse (singulier ou pluriel) :
  Vous allez bien, les enfants ?
  Vous allez bien, M. Paul ?
- ***On*** est très souvent utilisé dans la langue parlée pour remplacer ***nous***.
  Attention ! Après *on*, le verbe est toujours à la 3e personne du singulier.
  On parle français. = Nous parlons français.
  Attention ! Pour renforcer les pronoms sujets, on utilise les pronoms toniques :
  - Super, ***moi*** *je suis en salle 8, à côté.*
  - Je regrette mais ***moi****, j'ai cours.*
  Ces formes servent aussi à poser une question et à répondre :
  - Je m'appelle Aïcha, et ***toi*** *?*
  - ***Moi****, c'est Bruno.*

VERBES EN *-ER*

- Ils représentent 90 % des verbes en français ! La majorité de ces verbes sont réguliers.

  Attention à l'orthographe !
  Pour garder la même prononciation, les verbes en *-cer* et en *-ger* prennent *ç* et *ge* devant *a* et *o* :
  placer : *je place* mais *nous plaçons.*
  voyager : *je voyage* mais *nous voyageons*.

1 **Entraînez-vous à conjuguer les verbes *chercher* et *travailler* rencontrés dans les situations.**

2 **Remplacez les noms soulignés par les pronoms sujets qui conviennent.**

1) Marie Bertier parle avec les élèves.
2) Pauline et son amie arrivent au cinéma.
3) Le professeur écoute ses élèves.
4) Les deux garçons bavardent beaucoup.
5) Pauline et Daniel se présentent.
6) M. Martin travaille au secrétariat.

3 **Conjuguez les verbes entre parenthèses.**

1) Elle (travailler) ... dans une librairie.
2) Vous (parler) ... anglais.
3) Ils (chercher) ... la salle de cours.
4) Je (aimer) ... aller au cinéma.
5) Nous (commencer) ... à 10 h.
6) Tu (étudier) ... le français.
7) On (voyager) ... en famille.
8) J' (entrer) ... en classe.
9) Elles (écouter) ... bien.
10) On (travailler) ... la phonétique.
11) Il (passer) ... son bac cette année.
12) Tu (aimer) ... bien tes professeurs.

être et avoir

ÊTRE	AVOIR
je suis	j'ai
tu es	tu as
il/elle/on est	il/elle/on a
nous sommes	nous avons
vous êtes	vous avez
ils/elles sont	ils/elles ont

Observez ces deux verbes.

Combien ont-ils de formes différentes à l'écrit ? Et à l'oral ?

Attention à la prononciation !

Distinguez :
ils sont [s] / *ils ont* [z].

LE VERBE *ÊTRE*, À QUOI ÇA SERT ?

- À donner des informations sur soi-même ou sur une autre personne : *Je suis belge. Je suis professeur. Il est marié. Il est grand et châtain. Elle est amusante.*
- À dire où on se trouve : *Je suis en salle 7.*
- À dire dans quel état physique ou psychologique on se trouve : *Il est fatigué. Elle est en colère.*

LE VERBE *AVOIR*, À QUOI ÇA SERT ?

- Le verbe *avoir* indique la possession : *Elle a un petit ami.*
- L'expression *il y a* signifie « exister dans un lieu » : *Dans la classe, il y a un professeur et des étudiants.*

4 Complétez ces phrases avec *être* ou *avoir* à la forme qui convient.

1) Nous ... en salle 7. Et vous ?
2) Elle ne va pas au cinéma parce qu'elle ... cours.
3) Ils ... français mais ils habitent en Suisse.
4) Ils ... amusants, ces professeurs.
5) Nous ... une fille de seize ans.
6) Il ... timide et réservé.
7) Tu ... anglaise ou irlandaise ?
8) Vous ... le livre d'histoire de 1re année ?

les articles

ARTICLES DÉFINIS

	MASCULIN	FÉMININ
SINGULIER	**le** garçon **l'**étudiant	**la** fille **l'**étudiante
PLURIEL	**les** garçons **les** étudiants	**les** filles **les** étudiantes

l' devant voyelle ou h muet

ARTICLES INDÉFINIS

	MASCULIN	FÉMININ
SINGULIER	**un** stylo **un** ami	**une** salle **une** école
PLURIEL	**des** stylos **des** amis	**des** salles **des** écoles

Attention à la prononciation !

- À l'écrit, au pluriel, on ajoute en général un *-s*, mais il ne se prononce pas : *livre / livres* = [livʀ], *étudiant / étudiants* = [etydiɑ̃].
- À l'oral, c'est l'article qui permet de savoir si le nom est singulier ou pluriel.
  – Distinguez bien : ***le*** [lə] *livre* / ***les*** [le] *livres.*
  – Il faut faire la liaison avec *un*, *des* et *les* quand le mot qui suit commence par une voyelle ou *h* muet :
  un ami - des amis - les écoles.
  un homme - des hommes - les hommes.

5 Complétez avec l'article défini qui convient.

1) ... secrétaire s'appelle Serge.
2) Ferme ... porte, s'il te plaît !
3) ... étudiantes se présentent.
4) Je t'attends à ... entrée de l'école.

6 Complétez avec l'article indéfini qui convient.

1) L'école a ... laboratoire de langues.
2) J'achète ... livre et ... cahier d'exercices.
3) Nous avons ... amis belges.
4) Tu connais ... fille qui s'appelle Magali ?

1 L'école : observez le plan, puis complétez.

1) Pour s'inscrire, on va au ... .
2) Pour consulter un dictionnaire, on va à la ... .
3) Pour acheter un livre, on va à la ... .
4) Les cours ont lieu dans les ... .
5) Pour travailler avec la vidéo, on va à la ... .
6) Les professeurs font des réunions dans la ... .

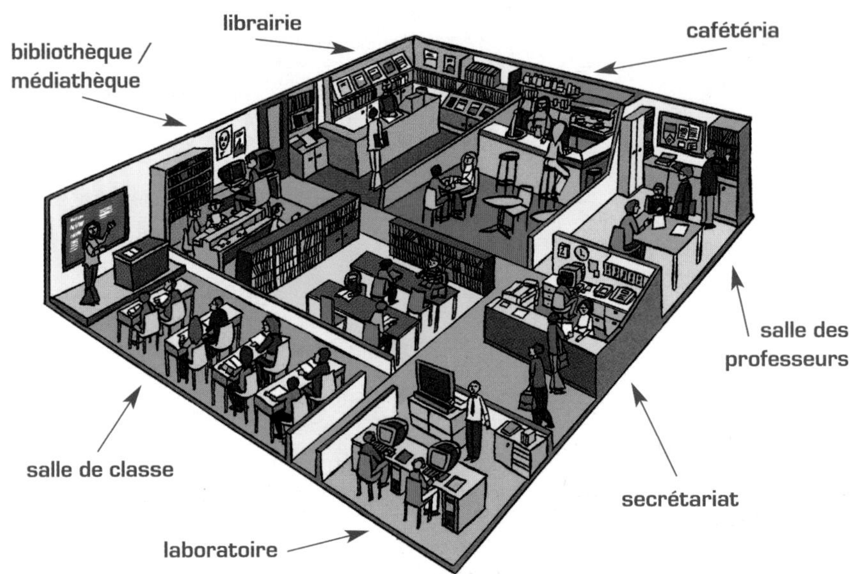

2 Les nationalités : quelle est la nationalité d'origine de ces plats et boissons ? Reliez.

1) la moussaka
2) la tequila
3) le rosbif
4) la caipirinha
5) le couscous
6) le mojito
7) les lasagnes
8) la sangria
9) le saké
10) les blinis

a) espagnole
b) anglais
c) italiennes
d) mexicaine
e) brésilienne
f) japonais
g) cubain
h) russes
i) marocain
j) grecque

L'ACCENT TONIQUE

1 Écoutez et soulignez les syllabes accentuées. Où se situe l'accent tonique en français ?

–Moi, c'est Bruno !
–Moi, c'est Bruno Dupont !

–Tu es content ?
–Tu es content du prof ?
–Tu es content du prof de français ?

–Une idée ?
–Quelle idée ?
–Une bonne idée !

2 Répétez les énoncés ci-contre et faites attention à l'accent tonique.

3 Mémorisez et récitez le poème suivant.

Comment ça va sur la terre ?
–Ça va, ça va, ça va bien.
Les petits chiens, sont-ils prospères ?
–Mon Dieu oui merci bien.

Jean Tardieu, *Le fleuve caché,* © Editions GALLIMARD.

La France, vous connaissez ?

Testez vos connaissances sur la géographie et la démographie de la France.

1 **La France a la forme...**

a) d'un hexagone.
b) d'un rectangle.
c) d'un triangle.

Souvent on l'appelle comme ça.

2 **La France a, approximativement, une superficie de...**

a) 300 000 kilomètres carrés.
b) 900 000 kilomètres carrés.
c) 550 000 kilomètres carrés.

3 **Les fleuves de France les plus importants sont... (Mettez les lettres dans l'ordre pour trouver leurs noms.)**

a) La e / n / o / g / n / a / r, qui passe par Bordeaux.
b) La e / r / i / o /l, qui passe par Tours.
c) Le n / h / r / i, qui passe près de Strasbourg.
d) Le n / e / o / r / h, qui passe par Lyon.
e) La e / n / i / e / s, qui passe par Paris.

4 **La France est baignée par deux mers et un océan. Vrai ou faux ?**

[V] [F]

5 **Les 6 pays qui ont une frontière avec la France sont...**

L'E...	L'I...
La S...	Le L...
L'A...	La B...

6 **Actuellement, la population française est approximativement de...**

a) 35 millions de personnes.
b) 80 millions de personnes.
c) 60 millions de personnes.

7 **Cette population, en ce moment...**

a) augmente.
b) diminue.
c) stagne.

8 **Paris, avec sa périphérie, a à peu près...**

a) 4 millions d'habitants.
b) 22 millions d'habitants.
c) 11 millions d'habitants.

Solutions :
1) a - 2) c - 3) a) la Garonne b) la Loire c) le Rhin d) le Rhône e) la Seine - 4) V - 5) l'Espagne, l'Italie, la Suisse, le Luxembourg, l'Allemagne, la Belgique - 6) c - 7) a - 8) c

expressions pour...

Retrouvez dans la leçon les expressions pour...

- Saluer et prendre congé.
- Utiliser quelques formules de politesse.
- Se présenter et présenter quelqu'un.
- Demander à quelqu'un comment il s'appelle / Dire comment on s'appelle.
- Demander / Donner des informations sur quelqu'un.
- Demander / Exprimer des opinions sur quelqu'un.
- Décrire quelqu'un physiquement.

Parler

1 Canevas : préparez un dialogue à partir d'un des deux scénarios suivants. Ensuite, interprétez-le devant la classe.

Lisez le canevas du dialogue que vous devez préparer. Repérez dans les dialogues modèles les éléments que vous pouvez réutiliser. Adaptez-les à la nouvelle situation. Attention à l'intonation et aux gestes !

1 Julien et Agnès sont deux élèves de l'école de langues. Julien frappe à la porte de la salle où se trouve Agnès.

- Agnès ouvre la porte et salue.
- Julien salue et dit qu'il cherche Boris Lamarque.
- Agnès dit à Julien où est Boris Lamarque.
- Julien demande comment est Boris Lamarque.
- Agnès répond.
- Julien remercie Agnès et prend congé.

2 Sandra est dans la rue avec Mika, son amie étrangère. Elles rencontrent Bastien.

- Sandra salue Bastien.
- Bastien salue Sandra et demande comment elle va.
- Sandra répond et présente Mika à Bastien.
- Mika salue Bastien.
- Bastien salue Mika et demande si elle est française.
- Sandra informe Bastien de la nationalité de Mika.

2 Évaluez de 1 à 3 les productions de vos camarades sur les critères suivants :

réalisation du canevas	1 ☐	2 ☐	3 ☐
rythme et mélodie de la phrase	1 ☐	2 ☐	3 ☐
correction linguistique	1 ☐	2 ☐	3 ☐

PETITES ANNONCES

Retrouvez les annonces qui vont ensemble. Exemple : A - I I.

A
Jeune fille, 19 ans, brune, française, cherche échange français-espagnol. Téléphonez au 34468351418.

B
Sabbat, 24 ans, brune, tunisienne, gentille, cherche correspondant italien. Écrivez à sabtunis@jazzfree.net

C
35 ans, sympa, belge, cherche j.f. amusante. Échange français-anglais. Téléphonez au 32233612345.

D
Bernard, 35 ans, blond, suisse, amusant, cherche échange français-italien. Téléphonez au 41227059988.

E
Silvana, 40 ans, italienne, amusante. ch. échange français. Téléphoner au 39818903562.

F
Anne, 28 ans, blonde, américaine, sympa, ch. correspondant français. Écrivez à alameric@voila.com

G
Jeune homme, 22 ans, blond, italien, cherche correspondant(e) francophone. Écrivez à leblond@yahoo.com

H
Jeune femme, 25 ans, brune, espagnole, cherche française pour échange. Téléphonez au 33934853529.

I
Daniel, 29 ans, roux, belge, sympa, ch. correspondant(e) anglais(e). Écrivez à daniroux@hotmail.com

J
Marion, 33 ans, blonde, anglaise, amusante, cherche correspondant pour parler français. Téléphonez au 44186525945.

Quels indices vous permettent de faire l'exercice ? Les mots transparents ? La langue utilisée ?

Écrivez votre petite annonce pour chercher un(e) correspondant(e) afin de parler une langue.

Affichez votre petite annonce dans la classe et trouvez votre partenaire.

QUI DIT

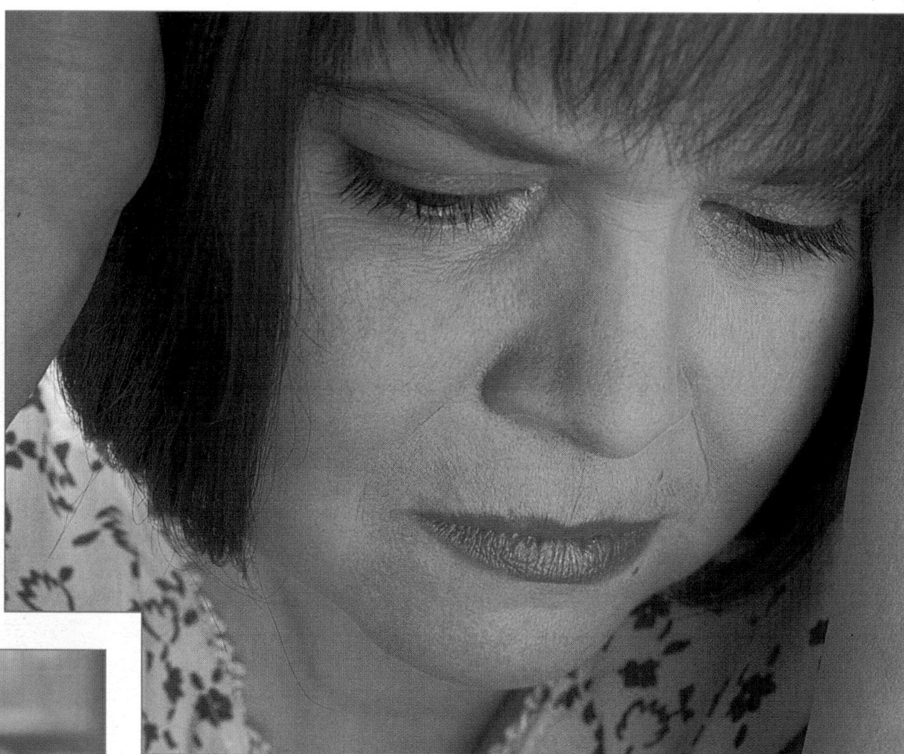

1 Vous allez entendre dix phrases. Devinez qui les dit.

a) un monsieur très persuasif
b) une jeune fille admirative
c) un monsieur très triste
d) un enfant anxieux
e) un jeune homme très content
f) une vieille dame pleine d'émotion
g) une dame snob
h) une petite fille surprise
i) une dame jeune, ironique et pas contente
j) un petit garçon très irrité

QUOI ?

2 Écoutez l'enregistrement et repérez, sur le dessin, qui prononce chaque phrase (A, B, C).

3 Écoutez l'enregistrement et repérez, sur le dessin, qui prononce chaque phrase (A, B, C).

Situation 1 > Dans un bureau de banque

1 Écoutez et choisissez l'option correcte.

1) On entend parler...
   a) deux personnages.
   b) quatre personnages.
   c) cinq personnages.

Qui ?

2) Les personnages sont...
   a) masculins et féminins.
   b) uniquement féminins.
   c) uniquement masculins.

Qui ?

3) Les personnages qui parlent sont...
   a) des amis.
   b) des employés du même bureau.
   c) des personnes qui ne se connaissent pas.

Qui ?

4) Les personnages sont...
   a) dans la rue.
   b) dans une classe.
   c) dans un lieu public.

Où ?

5) Ils parlent...
   a) d'amis communs.
   b) d'un monsieur qui travaille dans le bureau.
   c) de travail.

Quoi ?

6) Le deuxième personnage désire...
   a) parler avec Bruno Legrand.
   b) téléphoner à Bruno Legrand.
   c) savoir si Bruno Legrand travaille dans ce bureau.

Quoi ?

2 Réécoutez la situation. Quels sont les mots que vous identifiez en fonction des questions : Qui ? Où ? Quoi ?

3 Comparez vos réponses avec votre voisin(e), puis vérifiez avec la transcription.

4 Commentez les intonations. Comment caractérisez-vous le ton du client ? Et le ton de l'employé ? (agréable, surpris, poli, irrité...)

5 Par groupes de 2, mémorisez et jouez la scène.

- Monsieur !
- Bonjour monsieur, je voudrais parler à Bruno Lemoine.
- Bruno Lemoine ? Il n'y a pas de Bruno Lemoine ici. Vous vous trompez !
- Ah bon, excusez-moi ! Je cherche un Bruno, la quarantaine, mince ; il est brun et frisé. Il ne travaille pas ici ?
- Si, si, mais il ne s'appelle pas Bruno Lemoine. C'est Bruno Legrand !
- Oh, pardon ! Je pourrais le voir, s'il vous plaît ?
- Oui, une minute... ! Vous êtes monsieur... ?
- Armand Garou.
- Armand comment ? Vous pouvez répéter, s'il vous plaît ?
- Garou, je vous épelle : G-A-R-O-U.
- Allô, monsieur Legrand ? On vous demande au guichet... Monsieur Garou... D'accord... Asseyez-vous ! Il arrive !

Situation 2 > Pierre est amoureux !

1 **Écoutez plusieurs fois le dialogue, puis dites si c'est vrai ou faux.**

1) Deux jeunes hommes se parlent dans la rue.
2) Ils se connaissent bien.
3) Ils parlent de leur travail.
4) Ils parlent de Christine Dufour.
5) Elle est blonde et elle habite à Bordeaux.
6) C'est la copine de l'un des deux. 
7) Elle va se marier avec lui.
8) Elle va vivre avec lui.
9) Ils vont organiser une fête d'inauguration. 
10) L'ami ne sait pas s'il acceptera l'invitation. 

2 **Vérifiez vos réponses avec la transcription.**

- Tiens, bonjour Pierre ! Qu'est-ce que tu fais ici ?
- Eh ben... j'attends Christine.
- Christine Delmas ? La blonde de Bordeaux ?
- Non, pas Christine Delmas ! Une autre Christine ! Elle s'appelle Christine Dufour. Elle habite à Toulouse.
- Elle est comment ? 
- Elle est rousse, assez grande, mignonne... très bavarde !
- Ah ouais ! C'est une amie ?
- Heu... ben, une amie..., oui...
- Oh là là, quel mystère !
- Mais non, il n'y a pas de mystère ! C'est ma copine... Voilà Rachid, je te l'annonce : nous allons vivre ensemble !
- C'est pas vrai ! Toi, le célibataire !
- Eh oui ! Je suis amoureux !
- Pierre amoureux ! C'est formidable ! Eh bien, je suis très content !
- Bon, ben... je t'invite à l'inauguration du futur appartement ! Il est génial !
- Avec plaisir ! Il est où ?
- Place du Capitole, au n° 5.
- Ah, j'adore cette place ! Alors, à bientôt ! Appelle-moi et félicitations !

3 **Par groupes de 2, mémorisez et jouez la scène.** Si elle vous paraît trop longue, sélectionnez les répliques qui vous semblent les plus importantes.

4 **Maintenant, jouez la même scène.** Attention ! Christine Dufour est devenue Corinne Morin, secrétaire.

Réfléchissons !
Comment mémoriser plus facilement une situation ?

J'écoute la bande audio très souvent en classe.

J'écoute la bande audio plusieurs fois et je la répète en même temps.

J'écoute la bande audio plusieurs fois et je lis la transcription dans mon livre.

J'écoute la bande audio et j'écris sur mon cahier les mots que je comprends.

Je lis la transcription et je répète les répliques.

Commentez rapidement avec le groupe les possibilités que vous préférez.

• les verbes en *-er*

ACHETER	RÉPÉTER	ÉPELER	JETER	PAYER
j'achète tu achètes il/elle/on achète nous achetons vous achetez ils/elles achètent	je répète tu répètes il/elle/on répète nous répétons vous répétez ils/elles répètent	j'épelle tu épelles il/elle/on épelle nous épelons vous épelez ils/elles épellent	je jette tu jettes il/elle/on jette nous jetons vous jetez ils/elles jettent	je paie tu paies il/elle/on paie nous payons vous payez ils/elles paient

Écoutez très attentivement la conjugaison des trois premiers verbes. Que remarquez-vous ?

Observez les formes de *acheter* et de *répéter*.
Que remarquez-vous du point de vue de l'orthographe ?
Observez maintenant les formes de *épeler* et de *jeter* : c'est le même phénomène ?

Et pour le verbe *payer* ?

Aller : quatre formes irrégulières, deux formes régulières, lesquelles ?

- Généralement, les deux premières personnes du pluriel du présent de l'indicatif, se prononcent comme l'infinitif.
- Le changement phonétique se traduit à l'écrit par une modification orthographique.

- Autres verbes :
  sur le modèle de *payer* : *envoyer, appuyer, tutoyer, employer...*
  sur le modèle de *répéter* : *compléter, espérer...*
  sur le modèle de *acheter* : *(se) lever, peser...*
  sur le modèle de *épeler* : *appeler...*
  sur le modèle de *jeter* : *projeter...*

UN VERBE PRONOMINAL

S'APPELER
je **m'**appelle tu **t'**appelles il/elle/on **s'**appelle nous **nous** appelons vous **vous** appelez ils/elles **s'**appellent

LE SEUL VERBE EN *-ER* IRRÉGULIER

ALLER
je vais tu vas il/elle/on va nous allons vous allez ils/elles vont

1 Écoutez votre professeur et entraînez-vous à conjuguer ces verbes et à les prononcer.

2 Conjuguez le verbe *aller*.

1) Mes parents ... à la mer ce week-end.
2) Je ne ... pas en cours aujourd'hui.
3) Vous ... au marché à vélo.
4) Martine ... voir son amoureux.
5) Tu ... à la piscine le lundi.
6) Nous ... en Belgique tous les ans.
7) On ... au cinéma après le cours.
8) Elles ... à la faculté en autobus.

3 Mettez au présent les verbes entre parenthèses.

1) Les élèves ... (répéter) la phrase.
2) Marie ... (compléter) ses notes.
3) Il ... (s'appeler) Romain.
4) Vous ... (épeler) votre nom ?
5) Elles ... (acheter) des livres.
6) Nous ... (envoyer) des nouvelles.
7) Je ... (payer) le café.
8) Le professeur ... (tutoyer) ses élèves.
9) Les élèves ... (compléter) l'exercice.
10) Le professeur ... (projeter) un voyage pour la classe.

la négation

- La négation se compose toujours de deux éléments qui encadrent le verbe :
  *Il **ne** s'appelle **pas** Bruno Lemoine.*
  *Pierre **n'**attend **pas** Christine Delmas.*
- Après une négation, les articles *un, une, des* deviennent *de* ou *d'* :
  *Mais non, il n'y a **pas de** mystère !*
  *Il n'y a **pas de** Bruno Lemoine ici.*
- Attention ! cette règle ne s'applique pas au présentatif *c'est* :
  *Ce n'est pas **une** amie.*
- Pour répondre négativement à une question, on dit ***non***.
  Pour répondre affirmativement, on dit ***oui*** ou ***si*** si la question est négative :
  –Il ne travaille pas ici ?!
  *–**Si, si,** mais il ne s'appelle pas Bruno Lemoine.*
- Attention ! à l'oral, on supprime souvent le premier terme de la négation :
  *C'est **pas** vrai ! Tu la connais **pas** ?*

4 Mettez à la forme négative.

1) Elle habite à Toulouse.
2) Tu t'appelles Armand.
3) Elle est rousse.
4) Pierre invite des amis d'enfance.
5) Il est content.
6) Vous étudiez le français.
7) Tu écoutes un dialogue.
8) Ils complètent l'exercice.
9) Le professeur va au laboratoire.
10) Vous demandez une explication.

les adjectifs qualificatifs

MASCULIN	FÉMININ	
blond content français brun mignon sportif gros roux amoureux blanc	blond**e** content**e** français**e** brun**e** mignon**ne** sporti**ve** gro**sse** rou**sse** amour**euse** blan**che**	Adjectifs ≠ à l'oral et ≠ à l'écrit
noir fatigué bleu	noire fatiguée bleue	Adjectifs = à l'oral et ≠ à l'écrit
dynamique célibataire mince	dynamique célibataire mince	Adjectifs = à l'oral et = à l'écrit

5 Mettez au féminin.

1) Il est petit, mince et très bavard.
2) Tu es très mystérieux !
3) Je ne suis pas marié, je suis divorcé.
4) Il est grand et gros.
5) Ils sont très sportifs !

C'est... - Il / Elle est...

Observez ces phrases :
C'est *Bruno Legrand.* ***Il est*** *brun et frisé.*
C'est *une amie :* ***elle est*** *professeur.*
Non, ***ce n'est pas*** *une amie.* ***C'est*** *ma copine.* ***Elle est*** *très bavarde.*

Pour présenter ou identifier :	**Pour caractériser :**
C'est + nom propre *C'est* + article (ou autre déterminant) + nom	*Il / Elle est* + adjectif (ou nom employé comme adjectif)

6 Présentez et caractérisez votre voisin(e) de classe en employant *C'est...* et *Il / Elle est...*

Les couleurs

bleu **blanc** **jaune** **rouge** **vert**

noir **marron** **gris** **orange** **violet**

Attention !
les adjectifs *marron* et *orange* sont invariables.

1 **Qui est qui ?** Observez les illustrations, puis lisez les descriptions. Associez chaque personnage à sa description.

① 
② 
③ 
④ 
⑤ 

a) C'est un petit garçon très mignon et sympathique. Il a les yeux marron, les cheveux blonds et raides et un petit nez. Il est sur un vélo jaune et il a l'air content.

b) C'est une dame. Elle est un peu maigre, très grande, et pas très belle. Elle a les cheveux longs. Elle porte une jolie robe rouge. Elle a un journal à la main.

c) C'est une jeune fille de 20 ans environ. Elle est très mince. Elle a une jupe courte orange. Ses cheveux sont bruns et frisés. Elle a un baladeur. Elle marche avec un petit chien.

d) C'est un monsieur très âgé et très ridé. Il marche avec une canne. Il porte des lunettes. Il a une longue barbe blanche et des cheveux très blancs aussi. Il a un visage sérieux.

e) C'est un lycéen avec un sac à dos. Il est un peu gros et mal coiffé. Il a de grandes oreilles. Il porte des vêtements de sport : son pantalon est bleu, comme son pull et ses baskets.

2 **Quelle annonce sentimentale a écrit chacun de ces personnages ?**

a) Dame de 55 ans, sensible, cherche monsieur agréable, actif et cultivé.
b) Monsieur âgé et un peu seul, cherche dame patiente et compréhensive.
c) Petit garçon cherche petite fille sportive, gentille et amusante pour faire du vélo.
d) Jeune femme un peu timide, cherche jeune homme affectueux et passionné mais pas jaloux.
e) Garçon de 12 ans, drôle et sportif, cherche jeune fille originale et simple.

RELATION SON / GRAPHIE

1 **Écoutez les mots suivants.** Barrez la dernière lettre écrite si elle n'est pas prononcée. Quelles sont les lettres qui ne sont pas prononcées ? Quelles lettres sont prononcées ? Quelles lettres sont prononcées parfois mais pas toujours ?

1) alors
2) amie
3) journal
4) assez
5) beaucoup
6) sportif
7) bonjour
8) cahier
9) sac
10) chercher
11) deux
12) guichet
13) là-bas
14) professeur
15) bavard
16) salut
17) secrétariat
18) animal
19) sérieux
20) très
21) blond
22) d'accord
23) salle
24) blonde

Extra-sympa

J'aime les mecs d'la région Nord
J'aime les mecs qui font du sport
J'aime les mecs de Normandie
J'aime les mecs qui sont polis

J'aime les mecs du Languedoc
J'aime les mecs durs comme le roc
J'aime les mecs d'Alsace
J'aime les mecs qui sont tenaces

J'préfère les mecs du Roussillon
J'préfère les mecs aux cheveux longs
J'préfère les mecs des Pyrénées
J'préfère les mecs qui sont branchés

Ah les mecs, ils sont extra
Mais nous les filles, on est sympa !

J'adore les mecs du Limousin
J'adore les mecs aux cheveux châtains
J'adore les mecs d'la Côte d'Azur
J'adore les mecs qui ont de l'allure

J'aime les mecs de Provence
J'aime pas les mecs sans espérance
J'aime les mecs d'Aquitaine
J'aime pas les mecs qui me font de la peine
J'aime les mecs du Jura
Je déteste les mecs un peu babas
J'aime les mecs de Bretagne
Je déteste les mecs qui aiment la castagne

Ah les mecs, ils sont extra
Mais nous les filles, on est sympa !

1 Écoutez la chanson.

2 Repérez les régions françaises citées. Est-ce que vous savez où elles se trouvent ?

3 Par groupes, apprenez cette chanson et chantez-la.

expressions pour...

Retrouvez dans la leçon les expressions pour :

- Faire un commentaire agréable.
- Demander l'état civil de quelqu'un / Dire son état civil.
- Demander / Donner une adresse.
- Parler de soi.
- Décrire quelqu'un physiquement et psychologiquement.

Parler

Préparation de chaque activité : lisez les canevas des interventions que vous devez préparer. Repérez dans les dialogues modèles les éléments que vous pouvez réutiliser. Adaptez-les à chaque nouvelle situation.

1 Présentations.

1) Vous préparez votre présentation (état civil, adresse, description physique et psychologique).
2) Vous vous présentez à votre voisin(e).
3) Votre voisin(e) vous présente aux autres membres de la classe.

2 Canevas : par groupes de 2, préparez un dialogue à partir du scénario ci-dessous. Prolongez-le en tenant compte de la situation. Ensuite, interprétez-le devant la classe.

- David et Antoine sont à la cafétéria.
- David fait un commentaire sur une fille de la cafétéria.
- Antoine connaît cette fille.
- David demande quelle est sa nationalité, si elle étudie le français, son état civil...
- ...

3 Jeu : le personnage célèbre.

a) Par petits groupes, choisissez un personnage célèbre et pensez à ce que vous savez sur lui (physique, état civil, profession, goûts et préférences...).
b) Les autres groupes vous posent des questions pour deviner qui il est. Vous répondez uniquement par *oui* ou par *non*. Le premier qui devine a gagné.

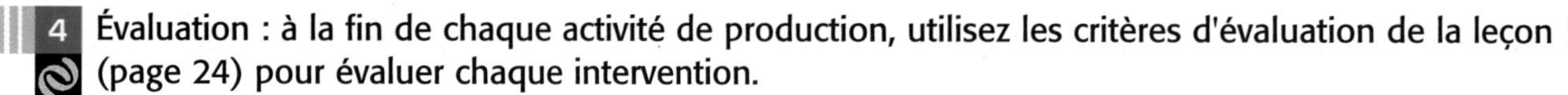

4 Évaluation : à la fin de chaque activité de production, utilisez les critères d'évaluation de la leçon 1 (page 24) pour évaluer chaque intervention.

Lire

Le nombre de femmes et d'hommes seul(e)s augmente-t-il ?

Le monde est plein, dit-on, de célibataires. Aidez-nous à savoir si c'est vrai en répondant à notre enquête.

1 État civil :

- ☐ **a.** marié(e)
- ☐ **b.** séparé(e) ou divorcé(e)
- ☑ **c.** célibataire
- ☐ **d.** veuf / veuve

2 Je vis...

- ☐ **a.** chez mes parents
- ☐ **b.** avec des ami(e)s
- ☑ **c.** seul(e)
- ☐ **d.** avec mon mari (compagnon) / ma femme (compagne)

3 Situation sentimentale

- ☑ **a.** Je suis seul(e) dans la vie.
- ☐ **b.** J'ai un(e) petit(e) ami(e).
- ☐ **c.** Je suis marié(e) ou je vis en couple.

4 Je suis seul parce que...

- ☐ **a.** mon indépendance est très importante pour moi.
- ☐ **b.** j'attends d'être vraiment très amoureux(se).
- ☐ **c.** mon travail occupe tout mon temps.
- ☐ **d.** je voudrais bien mais...

5 Je suis marié(e) ou je vis en couple parce que...

- ☐ **a.** je suis très, très amoureux(se).
- ☐ **b.** c'est l'option de vie que je préfère.
- ☐ **c.** je veux avoir un bébé très vite.
- ☐ **d.** mon / ma petit(e) ami(e) a beaucoup insisté.

Envoyez vos réponses à l'adresse suivante et vous gagnerez un magnifique cadeau.

Aile
10, rue du Cupidon
00000 Saint-Amour-sur-Seine

Écrire

1 Par groupes de 6, mettez en commun vos réponses au test précédent. Rédigez un court texte récapitulatif. Exemple : dans le groupe, trois personnes sont mariées...

2 Affichez votre texte à côté de celui des autres groupes. Vous aurez ainsi le profil des membres de votre classe.

GRAMMAIRE

1 Quel désordre ! Reconstituez les phrases suivantes.

1) bleu / Virginie / un / porte / jean
2) pas / elle / les / aime / à / chaussures / n' / talons
3) va / elle / au / elle / cinéma / temps / quand / le / a
4) bruns / n' / aime / les / pas / je / garçons
5) belge / nous / amie / très / avons / une / sympa

2 Conjuguez les verbes entre parenthèses.

1) Ils (écouter) ... un nouveau CD.
2) Nous (commencer) ... à aimer le français.
3) On (préparer) ... une fête.
4) Elle (apporter) ... le café.
5) Elles (aller) ... au cinéma voir un film en V.O.
6) Il (répéter) ... toujours la même chose.
7) Vous (tourner) ... un film en noir et blanc.
8) Je (acheter) ... mes livres à l'école.
9) Nous (être) ... heureux de faire votre connaissance.
10) On (espérer) ... que le prof est sympa.
11) Vous (fermer) ... votre restaurant le dimanche ?
12) Tu (s'appeler) ... comment ?
13) Nous (voyager) ... beaucoup.
14) Tu (aller) ... à la piscine ce soir ?
15) Je (fermer) ... toujours la porte.

3 Complétez avec l'article qui convient.

1) Voilà ... nouvel élève.
2) C'est ... ami de Marina.
3) Comment s'appelle ... directeur ?
4) ... professeurs de ... école sont jeunes.
5) Yasmina a ... notes super.
6) Il y a ... discothèque dans cette rue.
7) Marcello aime ... jolies filles.
8) Ce soir, j'invite ... amis à la maison.

4 Mettez le texte suivant au féminin.

Pour moi, l'homme idéal est grand, brun et mince. Il est sportif et dynamique. Il est sérieux, pas trop bavard mais sympa et amusant. Et surtout, il est... célibataire ! Vous pensez qu'il existe ?

5 Complétez le dialogue suivant.

—Qui est-ce ?
—... Marcello. ... le voisin du 3e étage.
— Tu le connais ?
—..., il ... très sympa et il ... célibataire !
—Super ! Il est ... ?
—..., il est suisse.
—Qu'est-ce qu'il fait dans ... vie ?
—Il ... professeur à ... université.
—... prof ! Quelle horreur !

PRONONCIATION

6 Écoutez. Dites pour quels mots la dernière lettre se prononce.

élève - habiter - bonsoir - filles - petit - général - cheveux - vous cherchez - actif

7 Écoutez les énoncés et dites chaque fois, dans les deux cas, à quelle place se trouve l'accent tonique.

1) a) Salut ! b) Salut les filles !
2) a) C'est un ami. b) C'est un ami français.
3) a) Vous venez ? b) Vous venez à Paris ?

LEXIQUE

8 Complétez le texte.

—Tu connais Marina et Rémi ?
—C'est qui ?
—Des copains, ils ... (1) à Avignon. Ils ont le même ... (2), 23 ans. Ils sont très différents : Marina est blonde, petite et ... (3) ; Rémi est ... (4), ... (5) et gros ; il a les ... (6) bleus et Marina les a ... (7) ; elle a les ... (8) courts et frisés et Rémi les a ... (9) et ... (10). Il aime bien lire et elle ... (11) la lecture. Quand il dit blanc, elle dit .... (12). Il ne parle pas beaucoup et Marina est très .... (13). Mais ce sont de très bons ... (14). Ils sont inséparables.

U1 BILAN COMMUNICATION : PORTFOLIO, PAGE 5

UNITÉ

2 Rythmes de vie

OBJECTIFS

- Communiquer de façon simple dans des échanges directs et par téléphone.
- Poser des questions personnelles et répondre au même type de questions.
- Exposer des goûts, des préférences et des opinions sur les activités quotidiennes et de loisirs.
- Situer dans le temps (présent et futur).
- Comprendre et écrire de courts textes descriptifs.
- Découvrir les pays francophones européens.
- Réfléchir sur les stratégies de compréhension globale, de mémorisation du lexique et de déduction.
- Utiliser des grilles de co-évaluation de l'expression orale.
- Élaborer sa biographie linguistique.
- Faire le point sur son apprentissage.

L3 LEÇON 3

COMMUNICATION
- Échanges directs et téléphoniques
- Formules pour le téléphone
- Commentaires d'activités quotidiennes
- Article de journal

GRAMMAIRE
- Présent des verbes en *-ir(e), -tre* et *-dre*
- Présent de *faire*
- Pluriel des noms et des adjectifs
- Formes interrogatives

LEXIQUE
- Heure
- Activités quotidiennes
- Moments de la journée

PRONONCIATION
- Intonations interrogative et affirmative

CIVILISATION
- Les pays francophones européens

L4 LEÇON 4

COMMUNICATION
- Échanges formels
- Mise en relation locuteur / message
- Commentaires d'activités de loisirs et de vacances
- Article de revue

GRAMMAIRE
- Présent de *prendre, venir, pouvoir* et verbes en *-evoir*
- Pronoms toniques
- Adjectifs possessifs
- Articles contractés
- Futur proche

LEXIQUE
- Famille
- Professions
- Activités de loisirs
- Saisons

PRONONCIATION
- Opposition voyelles orales / nasales

CIVILISATION
- Festivals et festivités dans les pays francophones européens

La journée de Laurent

SONDAGE

a

b

c

d

e

f

1 Observez les illustrations, puis écoutez l'enregistrement.

2 Que fait Laurent sur chaque dessin ?

3 Réécoutez l'enregistrement. Dans quel ordre Laurent réalise-t-il les activités ?

4 Comparez vos résultats avec ceux de votre voisin(e).

5 Vérifiez vos réponses avec la transcription.

6 Quelles activités ne sont pas illustrées ?

- Bonjour, comment tu t'appelles ?
- Laurent.
- Quel âge tu as ?
- 12 ans.
- Je peux te poser quelques questions sur une de tes journées d'école ?
- Oui...
- À quelle heure tu te lèves le matin ?
- À sept heures et demie.
- Tu déjeunes d'abord ou... ?
- Oui. Je prends mon petit déjeuner, ensuite je me lave, je m'habille et je pars à l'école.
- Et après l'école, qu'est-ce que tu fais ?
- Je fais du foot ou du roller avec mes copains, et après, je rentre chez moi, je goûte et je fais mes devoirs.
- Chez toi, tu aides ta mère ?
- Oui, je mets la table.
- Dernière question : tu préfères l'école ou les vacances ?
- Les vacances !!!

es activités quotidiennes es Français

La journée de madame Bertin

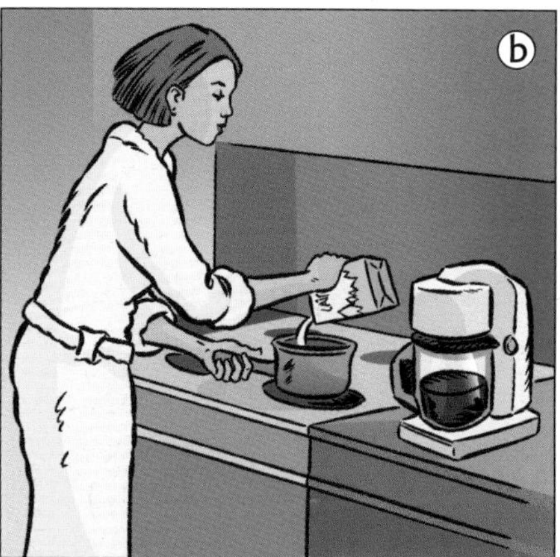

1 Observez les illustrations, puis écoutez l'enregistrement.

2 Que fait madame Bertin sur chaque dessin ?

3 Réécoutez l'enregistrement. Dans quel ordre madame Bertin réalise-t-elle les activités ?

4 Comparez vos résultats avec ceux de votre voisin(e).

5 Vérifiez vos réponses avec la transcription.

6 Quelle activité n'est pas illustrée ?

- Excusez-moi, madame, je peux vous poser quelques questions sur vos activités quotidiennes ?
- Si c'est rapide...
- Que faites-vous dans la vie ?
- Ben, je m'occupe de mes trois enfants et je travaille pour mon mari.
- À quelle heure vous vous levez le matin ?
- À 6 h 30. Je prépare le petit déjeuner et après je réveille toute la famille à 7 h.
- Comment vos enfants vont-ils à l'école ?
- Je les accompagne en voiture.
- Vous rentrez directement ?
- En général, oui. Je fais un peu de ménage et je commence à travailler.
- Que faites-vous ?
- Du secrétariat. Je m'occupe des lettres et des factures.
- Et le soir ?
- Je vais chercher les enfants à l'école, je surveille les devoirs... Après le dîner, je regarde souvent la télé avec mon mari.
- Merci beaucoup madame.

Situation 1 > Au téléphone

1 **Écoutez et choisissez l'option correcte.**

1) On entend parler...

   a) deux personnes.
   b) trois personnes.
   c) quatre personnes.

Qui ?

2) Les personnages sont...
   a) masculins et féminins.
   b) uniquement féminins.
   c) uniquement masculins.

Qui ?

3) Les personnages...
   a) ne se connaissent pas.
   b) se connaissent bien.
   c) sont trois amis.

Qui ?

4) Les personnages sont...
   a) dans la rue.
   b) dans trois endroits différents.
   c) dans deux endroits différents.

Où ?

5) Les personnages parlent...
   a) des vacances.
   b) de ce qu'ils vont faire ce week-end.
   c) des activités possibles pendant le week-end.

6) Deux personnages...
   a) vont sortir ensemble.
   b) parlent de sortir ensemble, mais décident de ne pas le faire.
   c) décident de rester chez eux pour regarder la télévision.

2 **Réécoutez le dialogue. Quels mots de la situation identifiez-vous ?**

3 **Comparez vos réponses avec votre voisin(e).**

4 **Vérifiez vos réponses avec la transcription.**

5 **Maintenant, par groupes de 3, mémorisez et jouez cette scène.**

6 **Jeu de rôle. Par téléphone, vous invitez un(e) ami(e) dans un bar karaoké. Il accepte ou non (au choix).**

- Allô !
- Allô, bonjour monsieur. Est-ce que Alice est là ?
- De la part de qui ?
- De Nadia.
- Alice, Alice !
- C'est qui ?
- Nadia.
- Salut Nadia, ça va ?
- Oui et toi ? Dis, on va au bowling samedi avec Théo. Tu viens ?
- Ben je travaille à partir de deux heures et demie !
- Et à quelle heure tu finis ? On a rendez-vous vers cinq heures.
- Je finis à sept heures !
- Alors, pas de bowling mais... tu sors le soir ? Vincent fait une soirée chez lui. Il t'attend !
- Oh, je ne sais pas : c'est loin de mon travail et je n'ai pas le temps de rentrer à la maison !
- On passe te chercher en voiture ! Tu dînes et tu te prépares chez moi !
- C'est vrai ? Super ! Je vous attends à sept heures dix devant le magasin ?
- C'est ça ! À demain !

Situation 2 > À la radio

1 **Écoutez. Dites si c'est vrai, faux ou si on ne sait pas.**

1) Yvette Debré est divorcée et a trois enfants.
2) Elle habite à Tours.
3) Elle aime se lever tôt le matin.
4) Elle ne dort jamais à Bruxelles.
5) Elle part en taxi pour prendre le train.
6) Elle voyage souvent en train.
7) Elle déjeune dans une cafétéria après ses réunions.
8) Elle aime beaucoup son travail et sa vie en général.
9) Elle sort beaucoup le soir avec ses amis.

2 **Vérifiez vos réponses avec la transcription.**

3 **Par groupes de 2, mémorisez et jouez cette scène. Si elle vous paraît trop longue, sélectionnez les répliques qui vous semblent les plus importantes.**

4 **Maintenant, par groupes de 2, jouez la même scène, mais attention : le nom de l'émission change et c'est Éric Laval qui est interrogé ; il est cadre dans une entreprise française ; il travaille en Suisse romande.**

- Aujourd'hui, dans notre émission LES FEMMES ET LE TRAVAIL, nous sommes heureux de recevoir madame Yvette Debré ! Bonjour madame ! Bienvenue !
- Bonjour !
- Vous habitez en France, à Tours, et vous travaillez à Bruxelles. Vous êtes mariée et vous avez deux enfants. Première question : qu'est-ce que vous faites comme travail ?
- Je suis dans le commerce international.
- À quelle heure vous levez-vous le matin ?
- Très tôt... vers six heures. Je pars de chez moi à sept heures !
- Tous les jours ?
- Presque. Parfois, je dors à Bruxelles.
- Comment voyagez-vous ?
- Habituellement en train, en T.G.V. Quelquefois en avion.
- Et vous déjeunez où ?
- Normalement dans mon bureau, entre deux réunions !
- Vous sortez souvent le soir ?
- Oh non ! Le week-end, je sors quelquefois avec mon mari. Mais en semaine, nous restons à la maison ! Je lis, on regarde la télévision.
- Votre vie est un peu compliquée, non ?
- Un peu, mais elle est passionnante. Et puis, mes enfants sont grands, maintenant...

Le présent des verbes en *-ir(e)* et en *-vre / -dre / -tre*

Observez les verbes suivants. Quelles sont les terminaisons ? Comparez les formes de l'infinitif et du présent.

CHOISIR	PARTIR	LIRE	METTRE	ATTENDRE
je choisi**s**	je par**s**	je li**s**	je met**s**	j'attend**s**
tu choisi**s**	tu par**s**	tu li**s**	tu met**s**	tu attend**s**
il/elle/on choisi**t**	il/elle/on par**t**	il/elle/on li**t**	il/elle/on met	il/elle/on atten**d**
nous choisiss**ons**	nous part**ons**	nous lis**ons**	nous mett**ons**	nous attend**ons**
vous choisiss**ez**	vous part**ez**	vous lis**ez**	vous mett**ez**	vous attend**ez**
ils/elles choisiss**ent**	ils/elles part**ent**	ils/elles lis**ent**	ils/elles mett**ent**	ils/elles attend**ent**

Écoutez l'enregistrement.
Pour chaque verbe, combien de formes différentes prononce-t-on ?
Quelle est la différence entre *il part* et *ils partent*, *il met* et *ils mettent*, *il attend* et *ils attendent* ?

DIRE
je dis
tu dis
il/elle/on dit
nous disons
vous dites
ils/elles disent

VERBES EN *-IR*

- Sur le modèle de ***choisir*** : *finir, réussir, grandir, réfléchir, accomplir, rougir, atterrir...*
- Sur le modèle de ***partir*** : *dormir, sortir...*
  Exceptions : *venir, tenir* et leurs composés.

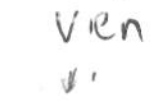

VERBES EN *-IRE*

- *Introduire, conduire, réduire, produire, instruire...*
  Exception : *dire (vous dites).*

VERBES EN *-VRE*

- *Vivre* et ses composés.

VERBES EN *-DRE*

- *Répondre, descendre, perdre...*
  Exceptions : *prendre* et ses composés *(comprendre, apprendre...).*

VERBES EN *-TRE*

- *Mettre* et ses composés *(admettre, promettre).*
- *Connaître, paraître* et leurs composés.

1 Conjuguez les verbes entre parenthèses.

1) Tu (dormir) ... avec la fenêtre ouverte ?
2) Tes parents (sortir) ... souvent le soir ?
3) Romain (lire) ... le journal après le repas.
4) Nous (conduire) ... les enfants à l'école.
5) Je (partir) ... à la montagne demain.
6) Vous (finir) ... les exercices.

2 Retrouvez l'infinitif des verbes conjugués.

1) Djamel attend le bus.
2) Vous lisez vos mails tous les jours.
3) Ils perdent leur temps.
4) Tu réponds au téléphone, s'il te plaît ?
5) Qu'est-ce que vous faites ?
6) Je mets souvent la table.
7) Il lit un roman passionnant.
8) Elle perd son temps.

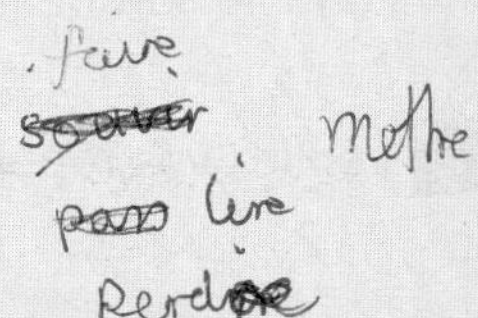

3 Écoutez les énoncés et dites si le verbe est au singulier ou au pluriel.

	1	2	3	4	5	6	7	8
Singulier								
Pluriel								

Faire

je fais
tu fais
il/elle/on fait
nous faisons
vous faites
ils/elles font

Le pluriel des noms et des adjectifs

SINGULIER	PLURIEL		SINGULIER	PLURIEL
un garçon une fille un enfant	des garçon**s** des fille**s** des enfant**s**	← cas → **général**	grand(e) petit(e) calme	grand**s** / grande**s** petit**s** / petite**s** calme**s**
un tableau un jeu	des tableau**x** des jeu**x**	-eau -eu	beau / belle	beau**x** / belle**s**
un journal un travail	des journ**aux** des trav**aux**	-al -ail	génial(e)	géni**aux** / géniale**s**
un pays un lynx un gaz	des pays des lynx des gaz	-s -x -z	gris(e) doux / douce	gris / grise**s** doux / douce**s**

Souvenez-vous ! À l'oral, c'est souvent l'article qui permet de distinguer le pluriel du singulier : *Le fils aîné de la concierge / Les fils aînés de la concierge.*

4 Mettez les phrases suivantes au pluriel.

1) Je ne connais pas le voisin.
2) La petite fille joue à cache-cache.
3) Il achète le journal tous les jours.
4) Quel beau travail !
5) L'appartement est grand et ensoleillé.
6) Il achète un tableau de Modigliani.
7) C'est un jeu vidéo. Il est nouveau.
8) Elle écrit un article génial.

L'interrogation

Observez les questions suivantes. Que remarquez-vous ?

–Vous rentrez directement ? — formel
*–**Est-ce que** vous rentrez directement ?* *–Oui / Non* ↓
*–**Rentrez-vous** directement ?* + formel

- Il existe trois manières de poser une même question :
  - intonation
  - utilisation de *est-ce que* en début de phrase
  - inversion du sujet
- Ces trois formes correspondent à différents registres de langue, du plus familier au plus formel.
  Attention ! Dans l'interrogation avec inversion, quand le verbe se termine par une voyelle, on intercale *-t-* pour faciliter la prononciation : *Arrive-**t**-il en train ou en avion ?*

MOTS INTERROGATIFS

*–**Comment** voyagez-vous ?*	*–Habituellement, en train.*	**manière**
*–**Où** déjeunez-vous ?*	*–Normalement, dans mon bureau.*	**lieu**
*–Tu prends tes vacances **quand** ?*	*–Le 20 août.*	**temps**
*–C'est **qui** ?*	*–Nadia, je crois.*	**personne(s)**
*–**Quel** est ton plat préféré ? **	*–Le couscous.*	**choix**
*–**Qu'est-ce que** tu fais comme travail ?*	*–Je suis dans le marketing.*	**chose(s)**

* Attention ! *Quel* s'accorde en genre et en nombre : *Quelle couleur... ? Quelles amies... ? Quels journaux... ?*

5 Trouvez les questions.

1) C'est une chanteuse canadienne.
2) Sa femme s'appelle Julie.
3) La semaine prochaine.
4) Un livre de grammaire.
5) Dans un studio à Lyon.
6) Je préfère le bleu.

Des emplois du temps inconciliables !

La fréquence
toujours
souvent
parfois, quelquefois
rarement
jamais

1 Observez l'illustration. Commentez chaque dessin en vous aidant des mots ci-contre.

2 Quel est votre emploi du temps ?

3 *Des emplois du temps inconciliables :* vivez-vous une situation analogue à la situation illustrée avec un membre de votre famille ? Connaissez-vous quelqu'un qui est dans ce cas ? Expliquez.

LES ACTIVITÉS QUOTIDIENNES
- se coucher, dormir, se réveiller
- se lever, se laver, s'habiller
- prendre le petit déjeuner, déjeuner, dîner
- partir travailler, rentrer du travail
- regarder la télé, lire un livre / le journal

LES MOMENTS DE LA JOURNÉE
Le matin : de 1 heure à midi.
L'après-midi : de 13 heures à 18 / 19 heures.
Le soir : de 18 / 19 heures à l'heure du coucher.

LES HEURES
Il est 1 heure (du matin) / 13 h (de l'après-midi).
Il est 7 heures (du matin) / 19 h (du soir).
Il est 10 heures (du matin) / 22 h (du soir).
Il est 10 heures et quart.
Il est 10 heures et demie.
Il est 11 heures moins le quart.
Ils déjeunent à midi et demi (12 h 30).
Ils se couchent à minuit (00 h).

QUESTIONS ET AFFIRMATIONS

1 Écoutez et dites s'il s'agit d'une question ou d'une affirmation (assertion).

	1	2	3	4	5	6	7	8
Question								
Affirmation								

Jeu : l'Europe francophone

1 **Préparation : constituez six équipes. Le professeur vous distribue une fiche-jeu pour écrire vos réponses.**

2 **Première partie : devinettes (1 point par réponse exacte). Observez les photos et écoutez les devinettes.** Attention ! Il y a un pays qui n'est pas représenté ci-dessous.

Chaque équipe dispose de 2 minutes pour trouver le nom des pays évoqués et l'inscrire sur la fiche-jeu distribuée. Vous pouvez consulter la carte qui se trouve dans votre livre.

3 **Deuxième partie : trois séries de questions de plus en plus difficiles.**

Vous avez 10 minutes pour lire les questions et répondre sur la fiche distribuée par le professeur.

Questions vertes :	**1 point par bonne réponse.**	**6 POINTS**
Questions bleues :	**3 points par bonne réponse.**	**18 POINTS**
Questions rouges :	**5 points par bonne réponse.**	**30 POINTS**
		TOTAL : 54 POINTS

Que les meilleurs gagnent !

expressions pour...

Cherchez dans la leçon les expressions pour :

- Téléphoner, répondre au téléphone.
- Interroger sur l'âge, la profession, le lieu, le temps...
- Parler des activités quotidiennes.
- Parler des moments de la journée.
- Dire l'heure.
- Exprimer son accord.
- Indiquer la fréquence d'activités.

Parler

1 La fête d'anniversaire. Par groupes de 3, jouez la scène suivante.

1) Laure téléphone à Julien pour l'inviter à sa fête d'anniversaire.
Claire, la sœur de Julien, répond au téléphone, puis passe le téléphone à Julien.
2) Julien prend la communication et parle avec Laure.

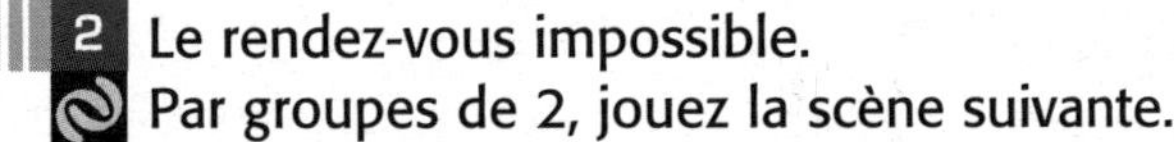

2 Le rendez-vous impossible.
Par groupes de 2, jouez la scène suivante.

Vous voulez voir un(e) ami(e), mais malheureusement, vous êtes très occupé(e)s. Vous vous téléphonez.

1) Notez sur votre page d'agenda les activités de votre journée.
2) Téléphonez à votre copain / copine.
3) Expliquez au groupe-classe le résultat de votre conversation.

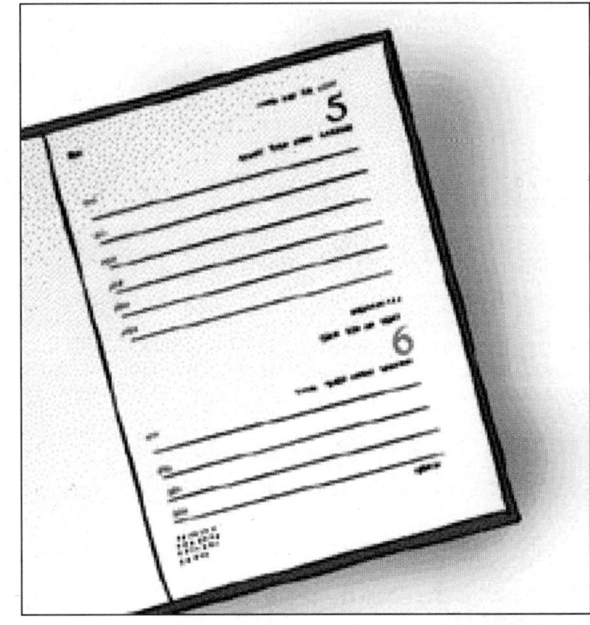

3 Une émission de radio.
Par groupes de 2, jouez la scène suivante.

1) L'animateur de radio présente son émission, décrit le personnage célèbre qu'il va interviewer mais ne dit pas son nom.
2) Il lui pose des questions sur son âge, sa profession, son état civil, le lieu où il habite et lui demande comment se déroule une de ses journées.
3) À la fin de l'interview, l'animateur invite les auditeurs à deviner le nom du personnage et à téléphoner à l'émission.
4) Les autres membres du groupe-classe jouent le rôle d'auditeurs qui téléphonent jusqu'à ce qu'ils devinent son nom.

Lisez bien les consignes avant de commencer. Choisissez à deux le personnage que vous voulez représenter. Préparez votre rôle et mettez-vous d'accord sur ce que vous allez dire. Jouez votre émission devant la classe.

La Gazette du Nord - supplément

Portraits : trois personnes, trois manières de vivre la vie...

Hélène Roux, 60 ans

Hélène Roux est née à Saint-Émilion où elle possède un grand domaine vinicole. Elle est mariée et a cinq enfants. Ils travaillent tous avec leurs parents. Pendant les périodes de gros travail, elle se lève très tôt le matin et se couche tôt le soir. Quand elle a le temps, elle adore faire la cuisine. Elle voyage beaucoup pour vendre son vin... Elle a le respect des traditions et elle croit à la famille.

Simane Khalef, 21 ans

Simane Khalef est chanteur dans un groupe de Raï. Il est né près de Lyon et il habite dans la banlieue de Toulouse. Célibataire, il vit chez ses parents. Tous les samedis, il anime un atelier de musique arabe pour les ados de sa cité. Il espère devenir célèbre. Il adore la revue *les Inrockuptibles* et il lit chaque numéro.

Virginie Légué, 27 ans

Virginie Légué, 27 ans, chômeuse depuis 18 mois, est née dans le Jura. Elle habite à Rennes avec deux amies. Elle a un copain qu'elle voit souvent mais elle aime son indépendance.

Elle fait une formation de typographie payée par l'ANPE et elle espère trouver un travail après. La politique ne l'intéresse pas beaucoup mais elle croit à l'écologie. Elle adore faire la fête le samedi soir. Elle se couche à cinq heures du matin le dimanche et elle dort jusqu'à l'heure du déjeuner.

Quelles informations nous sont données sur chacun des personnages en ce qui concerne son état civil, sa profession, ses passe-temps, ses croyances ?

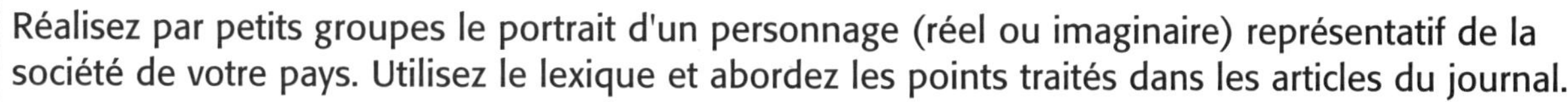

1 Réalisez par petits groupes le portrait d'un personnage (réel ou imaginaire) représentatif de la société de votre pays. Utilisez le lexique et abordez les points traités dans les articles du journal.

2 Chaque groupe affiche son texte. Vous avez ainsi une galerie de portraits amusants, ironiques, réalistes ou... imaginaires.

Réfléchissons !
Pensez aux mots nouveaux de cette leçon. Comment avez-vous fait pour les mémoriser ?

- Je répète les mots dans ma tête jusqu'à les savoir.
- Je répète les mots à haute voix.
- J'associe les mots à des émotions ou à des images.
- Je lis les mots plusieurs fois.
- Je construis une histoire avec les mots nouveaux.
- Je traduis les mots.
- Je cherche des synonymes.
- Je fais rimer ces mots avec d'autres que je connais.

Comparez vos réponses avec celles de vos voisins.

Qui suis-je ?

A B C D E F

1 Écoutez les personnages parler de leur profession.

2 Associez les personnages aux photos. Quels sont les mots qui vous ont permis de répondre ? Attention ! Une profession n'est pas représentée.

3 Comparez vos réponses avec votre voisin(e).

4 Vérifiez vos réponses avec la transcription.

5 Par petits groupes, inventez une devinette du même type et présentez-la au reste de la classe.

1. Je fais un travail dangereux et très utile. Je lutte contre le feu et je sauve des vies humaines et animales.
2. Je reste debout toute la journée et je travaille beaucoup au moment des soldes. Malheureusement, je ne peux pas mettre les vêtements que je vends.
3. Je travaille dans un laboratoire et j'analyse la composition chimique de différents produits et substances.
4. Je m'occupe toute la journée d'enfants. Ils sont petits et, avec moi, ils apprennent à lire et à écrire.
5. Les amoureux m'attendent avec impatience mais on n'aime pas me voir quand les lettres que j'apporte ne sont pas très agréables. Avec Internet, les gens ont moins besoin de moi.
6. Je suis habillé en vert ou en blanc ; je dois avoir de très bons yeux et mes mains doivent être très très habiles. J'ai fait de très longues études avant de commencer à travailler.
7. Je travaille souvent avec le personnage numéro 6. Parfois, je vais voir les malades à domicile. Je travaille de jour ou de nuit.

Qu'est-ce que je fais ?

1 Écoutez les sept mini-dialogues suivants.

2 Associez chaque enregistrement avec une des photos ci-dessus. Attention ! une profession n'est pas représentée.

3 Comparez vos réponses avec votre voisin(e).

4 Vérifiez vos réponses avec la transcription.

5 Par petits groupes, inventez une devinette du même type et présentez-la aux autres membres de la classe.

1. ■ Do, ré, mi, fa, sol, la, si, do, do, si, la, sol, fa, mi, ré, do.
   ■ Très bien. Continuons !
2. ■ Vous voyez ici la partie la plus ancienne de la ville. Elle vient d'être restaurée et, actuellement, c'est le centre de la vie nocturne.
   ■ Elle date de quelle époque ?
3. ■ Vous cherchez un appartement dans le centre ou en banlieue ?
   ■ Dans le centre, si c'est possible.
   ■ Et vous voulez un grand appartement ?
4. ■ Ouvrez bien la bouche, plus, plus ! Levez la main si je vous fais mal.
5. ■ Votre voiture n'est pas totalement réparée. Je n'ai pas fini, je n'ai pas eu le temps !
   ■ Oh mais c'est très ennuyeux, je circule toute la journée en voiture !
6. ■ Maître, nous vous écoutons.
   ■ Mon client se déclare innocent, madame le juge. Et je vais le prouver.
7. ■ Voilà ce que je prépare aujourd'hui : soupe ou consommé ou salade composée ; après, bœuf en sauce ou poisson grillé.
   ■ Bien chef !

Situations 1 et 2 > Côté plage et...

1 Écoutez la conversation et choisissez l'option correcte.

1) Les deux personnes sont...
   a) des amies.
   b) des collègues.
   c) des membres d'une même famille.

Qui ?

2) Elles sont...
   a) à la plage.
   b) chez elles.
   c) chacune dans un endroit différent.

Où ?

3) La saison est...
   a) l'hiver.
   b) l'été.
   c) On ne sait pas.

Quoi ?

4) Elles parlent...
   a) d'activités de vacances.
   b) de travail.
   c) d'une fête.

Quoi ?

5) Elles parlent...
   a) le matin.
   b) l'après-midi.
   c) le soir.

Quand ?

2 **Réécoutez le dialogue et comparez vos réponses avec votre voisin(e).**

3 **Maintenant, par groupes de 2, jouez la scène. Attention ! Julie est chez elle et son frère téléphone : il est au stade et il ne va pas rentrer déjeuner a la maison.**

- Allô maman, c'est moi, je vais rester à la plage avec Stéphanie.
- Mais... et le déjeuner ?
- Ah non, s'il te plaît, on a des sandwichs. Ils disent qu'il va pleuvoir demain. Alors on veut se baigner, bronzer...
- Bon, d'accord pour aujourd'hui.
- Super ! Merci maman. Et qu'est-ce que vous allez faire, vous, cet après-midi ?
- Ton père va aller à la pêche et moi, je vais aller sur la place : à 16 h, il y a une animation radio avec des jeux.

Situation 2

1 Regardez l'illustration. La scène se passe sur la place de Bandol, un petit village de Provence. Ginette, la mère de Julie, est la candidate du grand jeu de l'été. Observez-la attentivement et faites des suppositions. Imaginez sa profession, sa personnalité, ses goûts, son mode de vie pendant les vacances et pendant l'année...

côté ville

2 **Lisez les résumés suivants. Quels sont les points communs et les différences entre les deux ?**

1) Ginette est en vacances à la mer avec sa famille. Elle a un chien. Son mari, son fils et sa fille aiment les activités de plein air. Son mari préfère les jeux tranquilles. Elle se présente comme candidate à un jeu en direct à la radio. Le soir, ils aiment bien jouer aux cartes avec les voisins.

2) Ginette est en vacances à la montagne avec son mari et son fils. Elle a un chien. Elle aime les jeux télévisés et c'est pour cela qu'elle participe à un jeu à la télévision. Son mari et son fils font du vélo ensemble. Le soir, toute la famille joue aux cartes.

3 **Maintenant, écoutez le dialogue. Quel résumé correspond à l'enregistrement ?**

Réfléchissons !
Comment faites-vous pour comprendre globalement un dialogue long et complexe ?

- Je regarde le(s) dessin(s) qui illustre(nt) la situation.
- J'écoute les bruits de fond pour deviner où se situe la scène.
- J'écoute les voix pour savoir le nombre de personnages et leur sexe.
- J'écoute les voix pour deviner les caractéristiques de chaque personnage.
- Je me demande QUI, OÙ, QUAND, QUOI, POURQUOI.
- Je répertorie le nombre d'informations données.
- Je répertorie la nature des informations données.
- Je note les bouts de phrases que je comprends.
- J'interprète les mots «transparents».
- Je transpose mon expérience de situations similaires.

Utilisez-vous d'autres procédés ? Lesquels ?

Commentez avec les autres membres du groupe les procédés que vous utilisez.

■ Chers amis, bonjour ! En direct de Bandol dans le Var, notre grand jeu de l'été *100 euros, un heureux !* Avec nous Ginette, Ginette Delors, notre candidate. Bonjour, Ginette, vous êtes de la région ?
■ Ah non ! Je viens du Jura, je suis là pour les vacances, avec mon mari, mes deux enfants et mon petit chien.
■ Et qu'est-ce que vous faites dans la vie, Ginette ?
■ Je suis caissière et mon mari est pompiste.
■ Très bien ! Et comment ça se passe les vacances, Ginette ?
■ Oh ! ça, chacun a ses occupations : ma fille passe son temps à la plage, mon mari joue à la pétanque et le petit, il ne peut pas rester en place, il joue au foot, au ping-pong, il fait du vélo... Mais moi, mon dada, c'est les mots fléchés et les jeux à la télé. Ah oui ! Le soir, on joue aux cartes avec nos voisins.
■ Ah ! Mais c'est parfait, vous êtes dans l'ambiance. Vous êtes prête ? On va commencer. Pouvez-vous nous dire comment s'appellent les habitants des îles Marquises ?
■ Les... les Marquisiens.
■ Très bien, deuxième question : de quelle langue vient le mot *bambin* ?
■ De l'italien.
■ Oui, fantastique, maintenant attention : dans quels pays d'Afrique la monnaie s'appelle le dinar ?
■ Le dinar ? En Tunisie, en Algérie et...
■ Et ? Ginette, il vous reste 20 secondes !
■ En, au... au Maroc.
■ Désolé, c'est en Libye. Mais vous ne repartez pas les mains vides, voici quelques cadeaux.

Les adjectifs possessifs

	UN ÊTRE OU UNE CHOSE POSSÉDÉS		PLUSIEURS ÊTRES OU CHOSES POSSÉDÉS
UN POSSESSEUR	masculin	mon - ton - son	mes - tes - ses
	féminin	ma - ta - sa*	
PLUSIEURS POSSESSEURS	notre - votre - leur		nos - vos - leurs

* On utilise ***mon, ton, son*** (au lieu de *ma, ta, sa*) quand le nom féminin commence par une voyelle ou un *h* muet : ***Ton*** *amie est sympa, mais* ***son*** *histoire est absurde.*

Observez le tableau.
Les adjectifs possessifs ont-ils toujours des formes différentes pour le masculin et pour le féminin ? C'est pareil dans votre langue ?
Quelle est la différence entre *son* / *sa* et *leur*, entre *ses* et *leurs* ?

Observez la forme de politesse : *Monsieur ! Vous oubliez votre journal.*
Comparez avec votre langue. Est-ce la même chose ? Est-ce différent ?

1 Complétez avec un adjectif possessif.

1) Ginette passe ... vacances avec ... famille.
2) ... enfants font beaucoup de sport.
3) ... mari préfère les mots croisés.
4) Ils jouent aux cartes avec ... voisins.
5) Ils ont amené ... chien.
6) Ils sont très contents de ... mois d'août.

Prendre, venir, pouvoir et les verbes en *-evoir*

Observez ces verbes, puis écoutez l'enregistrement.

PRENDRE	VENIR	POUVOIR	DEVOIR	RECEVOIR
je pren**ds** tu pren**ds** il/elle/on pren**d** nous pren**ons** vous pren**ez** ils/elles pren**nent**	je vi**ens** tu vi**ens** il/elle/on vi**ent** nous ven**ons** vous ven**ez** ils/elle vien**nent**	je pe**ux** tu pe**ux** il/elle/on pe**ut** nous pouv**ons** vous pouv**ez** ils/elles peuv**ent**	je doi**s** tu doi**s** il/elle/on doi**t** nous dev**ons** vous dev**ez** ils/elles doiv**ent**	je reçoi**s** tu reçoi**s** il/elle/on reçoi**t** nous recev**ons** vous recev**ez** ils/elles reçoiv**ent**
+ apprendre, comprendre, surprendre...	*+ revenir, prévenir, tenir, obtenir...*	*+ vouloir*		*+ apercevoir, décevoir*

Observez les terminaisons. Que remarquez-vous ?
Écoutez. Combien de différences entendez-vous pour chaque verbe ?

2 Conjuguez au présent les verbes entre parenthèses.

1) Il est intelligent, il ... (comprendre) vite.
2) Si elles ... (vouloir), elles ... (pouvoir) rentrer à minuit.
3) Nous ... (obtenir) de bons résultats.
4) Vous ... (recevoir) des e-mails ?
5) S'il refuse, on ... (devoir) savoir pourquoi.
6) Tu ... (venir) en voiture ?
7) Ils ... (prévenir) la police de l'accident.
8) Tu ... (reprendre) ton travail à 14 h.
9) Vous ... (prendre) un café avec nous ?

Les articles contractés

À + ARTICLE DÉFINI		*DE* + ARTICLE DÉFINI	
à + le = au	*Il joue **au** foot.*	**de + le = du**	*On vient **du** Jura.*
à + la = à la	*On va rester **à la** plage.*	de + la = de la	*Vous êtes **de la** région ?*
à + l' = à l'	*Elle dort **à l'**hôtel.*	de + l' = de l'	*Le mot bambin vient **de l'**italien.*
à + les = aux	*On joue **aux** cartes avec les voisins.*	**de + les = des**	*Comment s'appellent les habitants **des** îles Marquises ?*

3 **Complétez à l'aide d'une préposition + article ou d'un article contracté.**

1) La visite ... exposition commence à 14 h 30. Rendez-vous à 14 h ... musée.
2) Tu penses déjà ... vacances ... été prochain ?
3) Les copains ... enfants viennent souvent ... maison.
4) Nous allons ... hôpital rendre visite ... tante Ève.
5) Voici Ségolène, la femme ... pharmacien.
6) En février, nous allons ... sports d'hiver.
7) Le directeur ... école est en vacances ... campagne.
8) Le frère ... voisin est mon prof de judo.

Le futur proche

Observez ces phrases :
*On **va rester** à la plage.*
*Qu'est-ce que **vous allez faire** ?*
*Je **vais me reposer**.*
Formation : verbe *aller* au présent + infinitif du verbe.

À QUOI ÇA SERT ?

- En principe, à parler du futur immédiat.
- Dans la langue courante, à parler du futur en général.

4 **Conjuguez au futur proche les verbes entre parenthèses.**

1) Dépêche-toi ! La poste ... (fermer).
2) Je n'aime pas l'école, je ... (arrêter) mes études.
3) Fais attention ! Tu ... (tomber).
4) Silence ! Le film ... (commencer).
5) Allez les enfants ! On ... (faire) les devoirs.
6) Dimanche, je ... tard. (se lever)
7) Ils ... à la manifestation. (se rendre)
8) Si tu étudies, tu ... (réussir) le concours.

Les pronoms personnels toniques

ILS S'EMPLOIENT APRÈS :

- une préposition *(chez, à, de, pour...)* :
  ***Avec nous**, Ginette, notre candidate...*
- une conjonction *(et, ou, ni)* :
  *Mon mari **et moi**, nous venons du Jura.*
- le présentatif *c'est* :
  *Allô maman, **c'est moi**.*

	SINGULIER	PLURIEL
1re pers.	moi	nous*
2e pers.	toi	vous
3e pers.	lui / elle	eux / elles

**Nous* renforce aussi le pronom sujet *on* : *Nous, on aime les jeux.*

5 **Complétez à l'aide d'un pronom tonique.**

1) Tu connais Elsa et Marielle ? –Oui, je travaille avec ...
2) Si tu vas au marché, je vais avec ...
3) ..., je n'aime pas me lever tôt.
4) ..., je veux bronzer, et toi ? –... aussi.
5) Je suis fatigué, je rentre chez ...
6) C'est l'anniversaire de Pierre et de Paul. –Zut ! Je n'ai pas de cadeau pour ...
7) C'est ... qui avez téléphoné ce matin ?
8) Vous aimez la plage, ... ?

Les loisirs

FAIRE...
- de la planche à voile, de la plongée sous-marine...
- de l'alpinisme...
- du vélo, du jogging, du camping, du ski...
- des promenades à pied, des mots croisés...

JOUER...
- à la pétanque, à la poupée, à l'élastique...
- au ballon, au tennis, au foot, au ping-pong, au Monopoly...
- aux cartes, aux échecs, aux dominos...

- se baigner, nager, bronzer
- lire un roman / le journal
- regarder la télé
- tricoter
- aller à la pêche
- voyager
- visiter des musées / des monuments
- se détendre, se reposer

La famille

- les parents
- les enfants
- le frère, la sœur, le demi-frère, la demi-sœur
- les grands-parents
- le petit-fils, la petite-fille
- l'oncle, la tante, le cousin, la cousine

Les saisons

1 Quelles sont les activités de vacances de la famille Baindemer ? Et vous, que faites-vous pendant vos loisirs ? Et pendant vos vacances ?

VOYELLES ORALES / VOYELLES NASALES

1 Écoutez les phrases suivantes et dites si le dernier mot contient une voyelle orale [a], [o], [ɛ] ou une voyelle nasale : [ɑ̃] comme dans *champ*, [ɔ̃] comme dans *bon* ou [ɛ̃] comme dans *fin*.

	[a]	[ɑ̃]
1		
2		
3		
4		
5		

	[o]	[ɔ̃]
6		
7		
8		
9		
10		

	[ɛ]	[ɛ̃]
11		
12		
13		
14		
15		

Vacances francophones en Europe !

Vous connaissez sûrement des festivités comme le festival d'Avignon ou le festival de Cannes mais voici une palette de propositions insolites :

Des activités et festivités pour l'été

Juin

7 - 30 juin, France : Printemps des comédiens à Montpellier

23 juin, Luxembourg : Fête Nationale

Dernier week-end, Belgique : Fête des pêcheurs et de la crevette à Koksijde

Août

1 août, Suisse: Fête Nationale

15 août, Luxembourg : Fête rurale de Léitffraweschdag à Greiveldange

Luxembourg : fêtes du vin dans les villes de la Moselle

Suisse : Festival de Genève

Monte-Carlo : Festival pyrotechnique

Juillet

Suisse : Festival des roses à Weggis

Andorre : Festival de jazz Escaldes-Engordany

Premier jeudi de juillet, Belgique : Cortège de l'Ommegang à Bruxelles

14 juillet, France : Fête Nationale

Mi-juillet, Belgique : Les Francofolies de Spa

13-20 juillet, France : Festival de marionnettes à Dives-sur-Mer

21 juillet, Belgique : Fête Nationale

janvier • février • mars • avril • mai • juin • juillet • août • septembre • octobre • novembre • décembre

1 Plusieurs personnes hésitent pour leurs vacances. Que leur proposez-vous ?

1) « Ma femme adore la mer et mes enfants les feux d'artifice. Que choisir ? »
2) « Nous avons une semaine de vacances en juin. Où aller ? »
3) « Nous allons en Belgique en juillet. Que faire ? »
4) « Ah, la gastronomie ! Goûter les produits du pays ! Et les fêtes, j'aime les fêtes... »

2 Demandez à votre voisin(e) quels sont ses goûts pour les vacances : quand aime-t-il / elle les prendre ? Où ?

3 Et vous, vous aimez faire du tourisme ?

Retrouvez dans la leçon les expressions pour :

expressions pour...

- Parler de ses projets.
- Parler de loisirs et d'activités de vacances.
- Interroger sur les vacances et en parler.
- Présenter les membres de sa famille.

Parler

1 Les 20 ans de Sylvie.
Par groupes de 2, jouez la scène.

Vous allez fêter les 20 ans de votre sœur Sylvie en famille. Vous téléphonez à votre meilleur(e) ami(e) pour l'inviter à participer à la célébration et à rester chez vous tout le week-end. Vous lui proposez d'autres activités à faire pendant le week-end.

Apprenez à évaluer les productions d'autres étudiants. Regardez les critères proposés ci-dessous, puis écoutez le dialogue créé par deux étudiant(e)s de français (1 et 2). Détectez les erreurs et évaluez leur production en fonction des critères donnés.

	ÉLÈVES 1	ÉLÈVES 2
Réalisation du jeu de rôle		
• adéquate et fluide	__	__
• incomplète ou peu fluide	__	__
• confuse	__	__
Rythme, mélodie et prononciation		
• très corrects	__	__
• corrects en général	__	__
• proches de la langue maternelle	__	__

	ÉLÈVES 1	ÉLÈVES 2
Grammaire		
• correcte	__	__
• incorrecte ponctuellement	__	__
• incorrecte en général	__	__
Lexique		
• correct et varié	__	__
• peu varié	__	__
• incorrect et proche de la langue maternelle	__	__

2 Présentez votre famille au reste de la classe.

Les Français et les vacances

La France est la première destination mondiale avec 75,5 millions d'arrivées touristiques en 2000, devant les États-Unis (50,9 millions) et l'Espagne (48,2 millions). Mais que font les Français ?

Selon une étude menée par la Direction du Tourisme Français, les vacances des Français se partagent entre les visites à la famille et / ou aux amis (48,4 %) et les séjours d'agrément (44,5 %).

Traditionnellement, 9 Français sur 10 choisissent le territoire national comme lieu de leurs vacances. Les trois régions les plus visitées sont Rhône-Alpes, PACA* et Île-de-France. On remarque tout de même une augmentation significative des séjours à l'étranger ces dernières années. Actuellement, 10 % des séjours se font à l'étranger. En termes de destination, l'Europe reste le continent le plus choisi avec 63,6 % des séjours en 2000 et avec une nette préférence pour l'Espagne et l'Italie. Ensuite, le continent africain est le plus attractif avec 19,1 % des départs, suivi par l'Amérique avec 11,3 %.

La durée des séjours s'est allongée jusqu'à 8 nuitées en moyenne pour l'ensemble des séjours et jusqu'à 12 nuitées en juillet et août. La mer reste l'espace privilégié des séjours d'été, suivie de la campagne, la ville et la montagne. La plupart des Français préfèrent loger chez la famille ou les amis, sinon ils choisissent le camping, la résidence secondaire, la location, l'hôtellerie ou les gîtes. La voiture reste le moyen de transport le plus utilisé pour les déplacements courts. Par contre, pour les déplacements à l'étranger les Français utilisent l'avion et le train.

* Provence-Alpes-Côte d'Azur

Tout savoir, n° 310

1 Dites si c'est vrai ou faux et rectifiez les affirmations fausses.

1) La France ne reçoit pas beaucoup de touristes.
2) Pendant les vacances, les Français partent surtout à l'étranger.
3) Un déplacement sur quatre se fait pour rendre visite à la famille ou aux amis.
4) Les premières régions visitées se trouvent au nord de la France.
5) L'Amérique est le deuxième continent visité par les Français.
6) La durée moyenne des séjours en été est moins longue qu'avant.
7) La campagne est le deuxième endroit choisi par les Français pour leurs vacances d´été.
8) La majorité des Français préfèrent loger dans un camping et se déplacer en train.
9) Pour les longs déplacements, la voiture n'est pas le moyen de transport le plus utilisé.

1 Relisez l'article ci-dessus. Par groupes de 3 ou 4, élaborez une enquête pour savoir comment les étudiants de français passent leurs vacances.

2 Répondez à l'enquête et, si vous le pouvez, passez-la à un autre groupe d'étudiants de français de votre école.

3 Écrivez un court texte pour présenter les résultats de cette enquête et affichez-le en classe ou présentez-le oralement.

U2 BILAN LANGUE

GRAMMAIRE

1 Mettez au présent les verbes entre parenthèses.

1) Si vous ... (venir) dîner à la maison, on ... (pouvoir) jouer au Monopoly après.
2) Maman ... (dormir), papa ... (lire) et nous, nous ... (sortir) avec des amis.
3) Claudia ... (mettre) des guirlandes, les garçons ... (choisir) la musique à écouter, et vous, qu'est-ce que vous ... (faire) ?
4) Elles ... (prendre) un pot avec des amis.
5) Je ... (attendre) 5 minutes et je ... (partir) : je ... (devoir) encore passer chez ma mère et je ne ... (vouloir) pas rentrer trop tard.

2 Complétez les phrases avec des adjectifs possessifs, des articles contractés et des pronoms toniques.

1) Didier et ... femme déjeunent avec ... amis au restaurant ... parc.
2) Allô, Bruno, c'est ... ? Tu m'entends ? Je suis avec Édith, j'arrive à 16 h.
3) Vous aimez trouver des prospectus dans ... boîte à lettres ?
4) Il s'intéresse ... films japonais, ... ?
5) Monsieur Morel est là ? Il y a un paquet pour ... .
6) Stéphanie et ... mari s'occupent très bien de ... enfants. Elle et ... s'entendent très bien avec ... .

3 Complétez ce dialogue avec des mots interrogatifs.

■ Denis et moi, on part en week-end.
■ Ah bon, vous allez ... ?
■ À la campagne, chez Georges et Odile.
■ Vous partez ... ?
■ Vendredi soir, après le boulot.
■ Et vous y allez ... ?
■ En train, ils viennent nous chercher à la gare.
■ À ... heure vous arrivez là-bas ?
■ À dix heures et demie.
■ C'est long, le voyage ! Et ... vous allez faire ?
■ Des tas de choses : on va se promener, se reposer, bavarder...

4 Mettez au futur proche.

1) Qu'est-ce que tu (faire) ... demain ?
2) Tu (venir) ... me voir bientôt.
3) Où est-ce que vous (passer) ... vos vacances cet été ?
4) Nous (manger) ... au restaurant ce soir.

5 Mettez ces phrases au pluriel.

1) Toi, tu es un garçon courageux.
2) Moi, j'achète un beau gâteau.
3) Lui, il prend son repas avec un copain.
4) Elle, elle choisit un disque anglais.

PRONONCIATION

6 Écoutez et dites la phrase que vous entendez.

1) a) Elle passe son concours demain.
   b) Elle passe son concours demain ?
2) a) C'est beau !
   b) C'est bon !
3) a) Je n'aime pas le grand.
   b) Je n'aime pas le gras.
4) a) Elle vient d'où ?
   b) D'où vient-elle ?
5) a) Il est trop las.
   b) Il est trop lent.

LEXIQUE

7 Comment vivent les Français ?

En général, pendant la semaine, la ... (1) de famille prépare le ... (2) des enfants, puis elle ... (3) au travail. Le samedi, les jeunes vont ... (4) de la musique et ... (5) en boîte. Une enquête récente indique que le dimanche ... (6), la majorité des Français aiment se ... (7) tard. L'été, 14 % des Français passent leurs ... (8) dans un pays étranger, les autres ... (9) des régions françaises. En ... (10), 26 % vont à la neige, dans les Alpes ou dans les Pyrénées.

U2 BILAN COMMUNICATION : PORTFOLIO, PAGE 7

PROJET

1 Bientôt Noël !

OBJECTIFS

Vous allez préparer votre dernier cours avant les vacances de Noël. Pour cela, nous vous invitons à découvrir comment on vit ces fêtes dans le monde francophone.

Décorations

1 **Par petits groupes, observez les photos ci-dessous. Qu'est-ce que vous utilisez pour décorer votre maison ? Aidez-vous du vocabulaire suivant :** *le sapin de Noël, les boules, les guirlandes, les bougies, la crèche, les santons, l'étoile, les cadeaux.*

Le sapin de Noël au Québec

Selon la légende, un général d'origine allemande appelé Von Reidesel plante à Sorel le premier sapin de Noël québécois, en 1781. Mais cette coutume se propage dans les villes québécoises beaucoup plus tard, vers 1920. Dans les années 1930, le sapin de Noël fait partie du décor de toutes les maisons des villes et campagnes québécoises.

Le sapin de Noël évoque le paradis perdu. Il rappelle l'épisode où Adam et Ève goûtent au fruit défendu. La boule de Noël symbolise ce fruit défendu. Dans le passé, on décorait le sapin de Noël de confiseries, de noix et d'objets en pâte d'amande. On ajoutait aussi des rubans et une étoile à son sommet. Parfois de petites chandelles illuminaient le sapin.

Dans les années 1800 apparaissent les boules de verre et autres décorations en papier, en cire, en bois ou en fer. Le plastique remplace ces matériaux dans les années 1960. À cette période, l'arbre artificiel devient très populaire. Heureusement, on constate aujourd'hui un retour aux décorations en verre et en bois. Mais de toute façon, si le sapin est décoré avec amour, il sera toujours beau.

2 **Connaissez-vous l'origine de certaines traditions de chez vous ?**

Des jours et des fêtes

3 **Associez chaque fête à l'explication correspondante. (Savez-vous de quel jour on parle ?)**

1. Le réveillon
2. Noël
3. Le réveillon de la Saint-Sylvestre
4. Le Nouvel An
5. L'Épiphanie

A C'est un jour d'inauguration, avec ses traditions et ses vœux.
B Cette fête s'appelle aussi le jour des Rois. En France, on mange la galette ou la couronne.
C C'est un repas qui se prend au milieu de la nuit de Noël, avant ou après la messe de minuit.
D Fête d'origine religieuse, elle célèbre la naissance de Jésus. Traditionnellement, on passe cette journée en famille.
E C'est un repas que l'on fait dans la nuit du 31 décembre au 1er janvier pour accueillir joyeusement la nouvelle année.

Gastronomie

4  **Mettez-vous par groupes de deux. L'un lit la partie qui correspond à l'Europe, l'autre la partie qui correspond au reste du monde. Puis, chacun présente à l'autre les plats et les boissons typiques de chaque pays.**

Comment on fête Noël dans le monde francophone ?

En Europe...

En France : la dinde est la reine incontestée des repas de Noël, farcie de marrons, de châtaignes ou de truffes. À côté, les huîtres, le foie gras, les truffes, le saumon fumé et le caviar. La bûche de Noël comme dessert. Le tout arrosé de champagne.

En Suisse : les traditions culinaires varient d'un canton à l'autre. Le seul point commun : l'oie rôtie du jour de Noël. Pour le dessert apparaissent diverses pâtisseries, mais le roi de la fête est le chocolat.

En Belgique : le 6 décembre, comme au Luxembourg, on fête Saint-Nicolas. Les enfants mangent des *speculoos*, pains d'épice silhouettés en Saint-Nicolas. À Noël, on mange aussi la dinde truffée, le boudin blanc, l'oie aux châtaignes et le foie gras. La bière est la boisson nationale, chaque brasseur décide ou non de faire une *bière de Noël*.

Dans les autres continents...

Au Canada : au menu de Noël, une dinde farcie aux pommes de reinette et aromatisée au sirop d'érable, accompagnée d'une purée de pommes de terre. On prépare aussi une tourtière de Noël, pâte farcie de poulet, de porc et de veau.

En Afrique : beaucoup de pays d'Afrique sont musulmans, mais les populations chrétiennes fêtent Noël. Toute la famille s'assied autour d'un plat complet : du poisson grillé farci, servi sur du riz au gras très épicé. Comme boisson locale, du *vin de palme*.

Aux Antilles, île de la Réunion, île Maurice : dans ces îles paradisiaques, Noël tombe en été. On fait venir du continent un grand sapin. Noël est le grand jour du cochon. On prépare le pâté créole, le boudin noir, le jambon fumé ou braisé à l'ananas, le cochon de lait rôti, suivi de *pois de bois*. Le rhum sert à préparer le *shrubb*, sirop au rhum.

5 Écoutez quatre personnes francophones expliquer comment elles fêtent Noël. Notez les dates, les repas et les activités qu'elles font. Aidez-vous des textes précédents pour mieux comprendre.

6 Comment fêtez-vous Noël dans votre pays ? Connaissez-vous d'autres traditions ?

Courrier de Noël

7 Écrivez une carte de vœux pour un(e) autre étudiant(e). Inventez une signature magique qui lui permettra de découvrir l'expéditeur (trice). Aidez-vous des formules proposées : *Une brune très frisée, Toujours à côté de toi, Un silencieux timide.*

8 Lettre au père Noël

Cher Père Noël,

Je m'appelle Loïc et j'habite à Dinard, un petit village en Bretagne. Tu connais la Bretagne ? C'est une très jolie région française où il pleut souvent. Mais ce n'est pas grave parce que les gens sont très gentils.

Cette année j'ai été très sage, même si parfois c'est difficile ! Tu connais mon frère Yannick et ma sœur Élodie : ils ne veulent pas jouer avec moi. Ils disent que je suis trop petit, mais j'ai déjà 6 ans !

Je te demande seulement trois cadeaux : un petit chien que je veux appeler Milou, comme le chien de Tintin ; une bicyclette neuve parce que la bicyclette que j'ai est trop petite maintenant ; et beaucoup de livres parce que maman me dit toujours de lire. C'est tout. Mais si tu veux m'apporter plus de cadeaux, pas de problème, je suis d'accord.

Loïc

9 Une idée sympa : pensez à offrir un petit cadeau à quelqu'un de votre groupe.

Le jour de la fête

10 **Par petits groupes, faites des propositions au groupe-classe pour la décoration et «l'apéro» du dernier cours. Décidez et organisez-vous !**

11 **Constituez trois groupes et préparez des jeux pour la fête :** *La chasse aux trésors, Charades et Célébrités improvisées.*

1) La chasse aux trésors.
Pensez où vous allez cacher tous les cadeaux. Écrivez de petites énigmes pour aider chacun à retrouver les trésors cachés. Bonne chance à tous !

2) Charades
Élaborez des devinettes à partir de définitions. Chaque définition correspond à une syllabe du mot. Si on assemble les syllabes, dans leur ordre d'apparition, on obtient un mot, comme dans les exemples.

Mon premier est une partie de cassette.
Mon deuxième est une note musicale.
Mon tout fait surtout plaisir aux enfants.

Solution : ca - do → cadeau

Mon premier est une préposition.
Mon deuxième est le contraire de mal.
Mon troisième s'oppose à tard.
Mon tout est une salutation.

Solution : à - bien - tôt → à bientôt

3) Célébrités improvisées
Mettez-vous par petits groupes et associez un personnage célèbre à chaque membre. Écrivez son nom sur un papier et collez-le sur son front. Pour deviner qui il est, chacun pose des questions aux autres qui répondent par *oui* ou par *non*.

Des chansons pour vous mettre dans l'ambiance...

Mon beau sapin

Mon beau sapin, roi des forêts
Que j'aime ta verdure !
Quand par l'hiver, bois et guérets
Sont dépouillés de leurs attraits
Mon beau sapin, roi des forêts
Tu gardes ta parure.

Chanson traditionnelle

Douce nuit, sainte nuit

Douce nuit, sainte nuit
Dans les cieux ! L'astre luit.
Le mystère annoncé s'accomplit
Cet enfant sur la paille endormi,
C'est l'amour infini !
C'est l'amour infini !

Paroles : *Père Barjon*
Musique : *Franz Gruber*

Vive le vent

Vive le vent, vive le vent, vive le vent d'hiver
Qui s'en va sifflant, soufflant, dans les grands sapins verts
Vive le temps, vive le temps, vive le temps d'hiver
Boule de neige et jour de l'An et bonne année grand-mère...

Paroles : *Francis Blanche*
Musique : *Rolf Marbot*

Tout est prêt ? Et vous aussi ? Alors, bonne fête !

UNITÉ 3 Lieux

OBJECTIFS

- Communiquer de façon simple dans des échanges directs (tourisme).
- Demander et donner des informations sur une ville, un logement, un environnement, un voyage.
- Reconnaître et donner des conseils et des ordres.
- Comprendre et écrire des cartes postales et de courtes lettres descriptives.
- Découvrir des pays francophones dans le monde.
- Réfléchir sur les stratégies de compréhension sélective et fine de textes écrits.
- Réfléchir sur des stratégies de préparation de jeux de rôle et de dramatisation.
- Appliquer des stratégies de structuration et d'organisation de textes.

L5 LEÇON 5

COMMUNICATION
- Échanges formels (tourisme -1)
- Registre standard
- Formules de politesse
- Descriptions de lieux et d'activités
- Brochure touristique
- Cartes postales

GRAMMAIRE
- Impératif (affirmatif et négatif, verbes pronominaux)
- Situation dans l'espace (1)
- Passé récent
- *On* impersonnel

LEXIQUE
- La ville et son organisation
- Organismes officiels et monuments
- Moyens de transport

PRONONCIATION
- [y] / [u] / [i]

CIVILISATION
- Les pays francophones

L6 LEÇON 6

COMMUNICATION
- Échanges formels (tourisme -2)
- Registre standard
- Commentaires (lieux et activités)
- Conseils
- Dépliant touristique
- Lettre

GRAMMAIRE
- Situation dans l'espace (2)
- Adjectifs démonstratifs
- Pronoms C.O.D.
- Expression de l'obligation

LEXIQUE
- Maison
- Environnement
- Adjectifs ordinaux

PRONONCIATION
- [e] / [ɛ] / [ø]

CIVILISATION
- La francophonie

Situation 1 > À l'office de tourisme

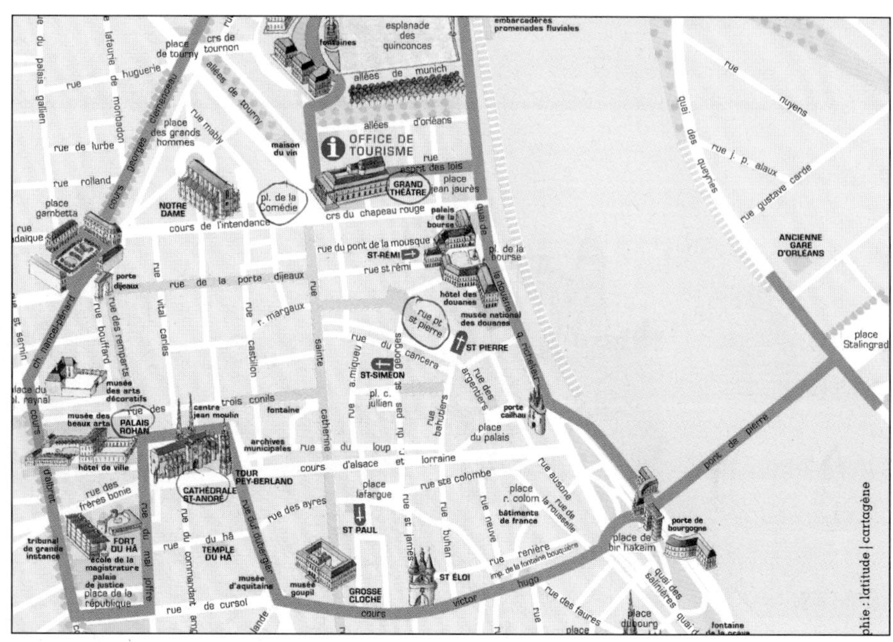

1 Écoutez l'enregistrement. Dites si c'est vrai ou faux.

1) Les deux touristes viennent d'arriver à Bordeaux.
2) Ils vont rester longtemps à Bordeaux.
3) Ils veulent faire des achats dans un commerce de la ville.
4) Ils veulent sortir le soir.
5) L'employée de l'office de tourisme ne les informe pas sur les restaurants de la ville.
6) L'employée leur donne une liste des auberges de jeunesse.

2 Regardez le plan du centre de Bordeaux et repérez six endroits cités dans ce dialogue.

3 Comparez vos réponses avec votre voisin(e).

4 Réécoutez la situation, puis vérifiez vos réponses avec la transcription.

5 Mémorisez cette situation et jouez une scène similaire en vous situant dans votre ville.

- Bonsoir !
- Bonsoir madame ! Nous voudrions un plan de Bordeaux et aussi... des informations sur la ville.
- Mais oui ! Alors... voilà le plan... Nous sommes place de la Comédie et le centre historique est tout près, là tout autour. Vous venez d'arriver ou vous connaissez un peu la ville ?
- Nous venons d'arriver et nous allons rester un jour seulement. Qu'est-ce que vous nous conseillez de voir ?
- Eh bien... le grand théâtre, juste derrière vous... la cathédrale, là, un peu plus loin, le palais Rohan, le quartier Saint-Pierre, la basilique Saint-Michel dans le quartier Saint-Michel, c'est cette tour, là... près du fleuve..., les quais...
- On peut monter au sommet de la tour pour voir la ville ?
- Mais bien sûr ! Il y a cinq étages et pas d'ascenseur mais en haut, on peut admirer un panorama magnifique !
- Je voudrais savoir aussi où sont les rues commerçantes...
- Ah oui, c'est vrai ! Nous voulons acheter des disques !
- Alors, vous prenez là, tout de suite à gauche, puis vous tournez à droite. Vous allez voir la poste. Continuez tout droit et... à deux minutes environ, vous avez la zone piétonne et un excellent magasin de disques !
- Et pour sortir ce soir ?
- Pas de problème ! Il y a beaucoup de cafés, de restaurants, de cinémas, des boîtes... tenez... voilà le dépliant *Bordeaux la nuit*.
- Ah, très bien... merci beaucoup... Vous avez une liste des auberges de jeunesse ?
- Oh ! Je viens de donner la dernière !
- Tant pis ! Eh bien au revoir !
- Au revoir et bon séjour !

Situation 2 > On cherche la gare !

1 **Écoutez et choisissez l'option correcte.**

1) Les jeunes gens cherchent la gare...
   a) routière.
   b) maritime.
   c) S.N.C.F.

2) Ils demandent des informations à...
   a) un agent de la circulation.
   b) un Bordelais qui ne sait pas leur répondre.
   c) un touriste, puis à un couple de Bordelais.

3) Raoul, le Bordelais...
   a) pense qu'ils vont trouver très difficilement leur chemin.
   b) pense qu'ils vont trouver facilement leur chemin.
   c) conseille aux jeunes gens de demander leur chemin à une autre personne.

4) La gare S.N.C.F. ...
   a) n'est pas indiquée.
   b) est très bien indiquée.
   c) nous ne savons pas si elle est indiquée.

5) Les jeunes...
   a) sont très fatigués parce qu'ils ont beaucoup marché.
   b) ne veulent pas trop marcher parce que leurs sacs sont lourds.
   c) sont inquiets parce que leur train va partir.

- Excusez-moi monsieur, on cherche la gare, pouvez-vous nous indiquer le chemin, s'il vous plaît ?
- Je regrette ! Je ne suis pas d'ici, je ne peux pas vous renseigner !
- Pas de chance ! Un autre touriste ! Et les Bordelais, où ils sont ?
- S'il vous plaît, madame, pouvez-vous me dire où est la gare ?
- La gare ? La gare... attendez, attendez... je demande. Dis, Raoul, pour aller à la gare ?
- La gare S.N.C.F. ? Mais nous venons de passer devant ! C'est très simple ! Prenez cette rue, là, devant vous, jusqu'au premier feu et tournez à gauche. Puis prenez la première à droite après la pharmacie. Vous allez voir la gare, en face de vous.
- C'est loin ?
- Non, 300 mètres environ et c'est indiqué. Vous voyez le panneau, là-bas ?
- Oui. Ouf ! c'est près d'ici ! Parce que nos sacs, ils sont lourds ! Eh bien merci beaucoup monsieur ! Au revoir !
- De rien ! Bon voyage !
- Dis, on ne vient pas de passer devant ce panneau ?
- Je crois que oui ! Qu'est-ce qu'on est nuls alors !

2 **Vérifiez vos réponses avec la transcription.**

3 **Résumez cette situation en cinq ou six phrases simples.**

4 **Par groupes de 4, mémorisez les expressions utilisées pour demander et indiquer le chemin de la gare.**

5 **Jouez une scène similaire : un touriste cherche un endroit de votre ville, vous l'informez.**

L'impératif

Indiquez parmi les consignes suivantes celles qui correspondent au professeur et celles qui correspondent au livre ou au cahier d'exercices.

- *Corrige les erreurs de ce texte !*
- *Travaillez par petits groupes.*
- *Reliez les deux phrases.*
- *Jouez le dialogue.*
- *Complétez avec des mots du texte.*
- *Lis à haute voix.*
- *Parlez plus fort.*
- *Transforme les phrases suivantes.*
- *Écoutez et répétez !*
- *Prononce encore une fois !*

Observez le tableau suivant. Quelle différence remarquez-vous entre le présent de l'indicatif et l'impératif ?

Présent	Impératif affirmatif	Impératif négatif
Tu prends cette rue.	**Prends** cette rue !	**Ne prends pas** cette rue !
Nous continuons tout droit.	**Continuons** tout droit !	**Ne continuons pas** tout droit !
Vous tournez à droite.	**Tournez à** droite !	**Ne tournez pas** à droite !

Attention à l'orthographe ! Les verbes en *-er* perdent le *s* à la 2e personne du singulier.

Tu demandes ton chemin. MAIS *Demande ton chemin !*
Tu vas tout droit. *Va tout droit !*

VERBES PRONOMINAUX

S'ARRÊTER → NE PAS S'ARRÊTER

arrête-toi ! → ne t'arrête pas !
arrêtons-nous ! → ne nous arrêtons pas !
arrêtez-vous ! → ne vous arrêtez pas !

À QUOI ÇA SERT ?

- À donner des conseils : *Prends le métro, c'est plus rapide.*
- À donner des ordres, des consignes : *Écoutez et répondez !*
- À interdire : *Ne parle pas fort !*

IMPÉRATIFS IRRÉGULIERS

- Les verbes *être*, *avoir* et *savoir* ont des impératifs irréguliers.
  Être : sois, soyons, soyez
  Avoir : aie, ayons, ayez
  Savoir : sache, sachons, sachez

Pour consulter la conjugaison de ces verbes, reportez-vous aux pages 163 à 166.

1 Dites pour chaque phrase la valeur de l'impératif : conseil, ordre, demande, interdiction...

1) Attachez vos ceintures, l'avion va décoller.
2) Ne marchez pas sur la pelouse.
3) Écoute ce disque, il est super !
4) Ne restez pas ici, circulez, circulez !
5) Ne vous inquiétez pas, tout va bien.
6) Levez-vous tôt pour partir avant l'heure de pointe.
7) Soyez prudents sur la route, il y a du brouillard !
8) Appelle-moi ce soir, j'ai besoin de parler à quelqu'un !
9) N'ouvre pas la porte à un inconnu !
10) Laissez reposer la pâte une heure.

2 Conjuguez les verbes à l'impératif (variez les personnes).

1) ... (répondre) aux questions des touristes.
2) ... (écouter) les conseils de ton père !
3) ... (accepter) ses excuses, il est sincère !
4) ... (ne pas prendre) votre voiture, ... (venir) en train.
5) ... (être) attentifs, la leçon est compliquée.
6) ... (finir) ton dessert avant d'aller regarder la télé.
7) ... (ne pas manger) tout le chocolat, tu vas être malade !
8) ... (ne pas avoir peur) du chien, il n'est pas méchant.
9) ... (se dépêcher), on est en retard.
10) ... (se garer) là, devant la gare.

La situation dans l'espace (1) : prépositions et adverbes

devant la maison

derrière la maison

entre deux maisons

à côté de la maison

chez le garagiste

en face de la mairie

sur le pont

sous le pont

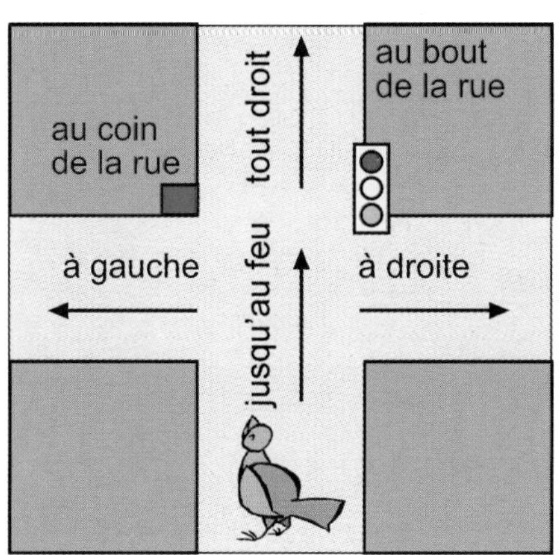

PRÉPOSITIONS OU ADVERBES ?

- Les prépositions introduisent un nom : *Il est garé devant l'école.*
- Certains adverbes de lieu ont les mêmes formes que les prépositions : *devant, derrière, à côté, à droite...*
  D'autres non : *sur → dessus, sous → dessous...*
- Autres adverbes : *en haut, en bas, ici, là, là-bas, loin, près...*

À QUOI ÇA SERT ?

- À situer dans l'espace :
  Le théâtre est juste derrière vous.
  Tu es chez toi jusqu'à quelle heure ?
- À indiquer le chemin :
  Vous tournez tout de suite à gauche et vous prenez la première à droite.

3 Choisissez la formule correcte.

1) Vous passez *derrière / à côté* de la boulangerie.
2) Elle a rendez-vous *chez / près* le coiffeur.
3) Le lycée Saint-Exupéry ? Il est *sous / sur* l'avenue.
4) Je t'attends *devant / en face* le parking.
5) Le bus s'arrête *entre / en face* de la place.
6) L'avion vole *au-dessus / en-dessous* du pré.
7) L'office de tourisme est juste *en face de / à côté* la mairie.
8) Le parc se trouve *derrière / sous* la cathédrale.

Le pronom *on* impersonnel

À QUOI ÇA SERT ?

- À désigner des personnes dont l'identité n'est pas connue ou pas précisée : tout le monde, les gens en général.
  [...] *on peut admirer un panorama magnifique !*
  (*≠ On cherche la gare. = Nous cherchons la gare.*)

Le passé récent

Observez ces phrases.

Vous venez d'arriver ?
Mais nous venons de passer devant !
Formation : *venir* au présent + *de* + infinitif

À QUOI ÇA SERT ?

- À indiquer la proximité dans le passé :
  Je viens d'acheter une voiture.

4 Conjuguez au passé récent les verbes entre parenthèses.

1) Trop tard ! L'avion ... (décoller).
2) Elle ... (finir) ses études.
3) La mairie ? Vous ... (passer) devant.
4) Mes parents ... (fêter) leurs noces d'argent.
5) Ce musée ... (ouvrir).
6) Je ... (rencontrer) un vieil ami.
7) Nous ... (voir) un film très intéressant.
8) Ils ... (arriver) à Lyon.

1 **La ville, c'est quoi pour vous ? Associez chaque bulle à un personnage.**

1) une mère de famille
2) des ados
3) un urbaniste
4) le maire
5) un chauffeur de taxi

2 **Et vous, que répondez-vous à cette question ?**

3 **Suivez le guide !**
Relevez les verbes qui servent à indiquer le chemin.

« Nous allons d'abord aller tout droit, traverser la place, prendre l'avenue du Président Wilson, longer les jardins du Trocadéro, tourner à gauche, passer sur le pont d'Iéna. Et voilà ! »

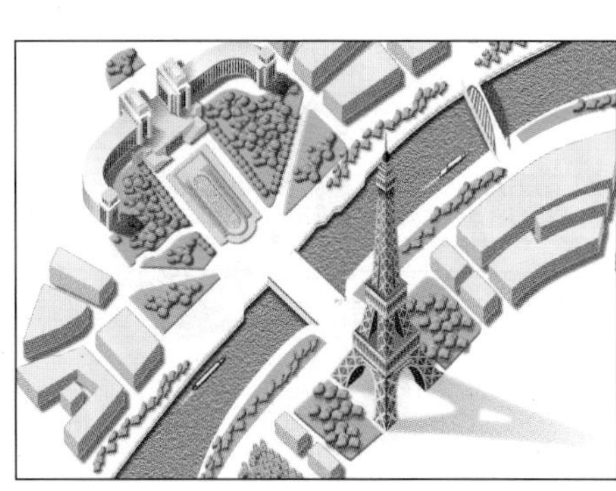

[y] / [u] / [i]

1 **Écoutez et dites la phrase que vous entendez.**

1) a) Il est sûr. — b) Il est sourd.
2) a) C'est la roue. — b) C'est la rue.
3) a) Il dit tout. — b) Il dit tu.
4) a) Quel lit ! — b) Quel loup !
5) a) Tu vas bien ? — b) Tout va bien ?

2 **Écoutez ces phrases et dites combien de fois vous entendez le son [y] dans chacune.**

3 **Complétez la transcription.**

a) M... riel d...t qu'elle arr...ve samed... à m...d... .
b) Arth...r ! ...es-t... ?
c) V...s êtes s...rs que J...l...e est part...e ?
d) T... as d...t « deux » ou « d...ze » ?

DES VILLES FRANCOPHONES AUX QUATRE COINS DU MONDE

1 Lisez les présentations suivantes et observez les photos. Associez-les, puis retrouvez le nom des villes (les lettres sont dans le désordre).

MARLÉTON

Cette ville d'Amérique a froid l'hiver et elle peut être couverte de neige. Elle se définit comme une ville active au niveau culturel et un de ses quartiers, le Plateau Mont-Royal, est considéré comme très hip*.

*hip : à la mode.

TOPR-UA-CENPRI

Je suis la capitale d'une île des Caraïbes. J'ai un peu plus de 250 ans mais je garde toute ma vitalité. La preuve : allez visiter mon endroit le plus pittoresque, le Marché en Fer. On y trouve de tout : jouets, artisanat, tableaux naïfs... et les tap-taps**.

**tap-tap : bus local

ABOMKA

Son nom veut dire la rivière aux crocodiles en bambara. Une image forte que l'on garde d'elle : la traversée sur le pont du fleuve Niger avec des mobylettes dans tous les sens. Beaucoup de monde et d'activités dans les rues, beaucoup d'odeurs, comme au marché de Medinacoura où l'on vend des herbes et des plantes médicinales.

TEPEAPE

Ville moderne qui vit sous le signe de la bonne humeur, elle est aussi le centre administratif et commercial d'une île de la Polynésie. Il n'est pas rare d'y voir les femmes avec des fleurs dans les cheveux. Une curiosité : le musée de la Perle noire.

2 Savez-vous dans quels pays se trouvent ces villes ? Retrouvez-les sur une carte.

3 Connaissez-vous les villes ci-dessus ? Connaissez-vous d'autres villes de ces pays ? Quelles villes ou pays francophones souhaitez-vous visiter ? Pourquoi ?

expressions pour...

Retrouvez dans la leçon les expressions pour...

- Demander poliment.
- Situer dans l'espace.
- Parler d'activités passées récentes.
- Exprimer une intention.
- Demander et indiquer son chemin.
- Décrire un quartier ou un environnement.
- Donner des conseils et des ordres.

Lire

Lisez le texte de la page 71, puis choisissez l'option correcte.

1) Ce texte est tiré d'...
   a) une brochure d'agence de voyages.
   b) un guide touristique.
   c) une encyclopédie.

2) On lit ce texte pour...
   a) savoir comment arriver à Lyon.
   b) connaître l'histoire de la ville.
   c) sélectionner les endroits à visiter.

3) L'encadré insiste sur...
   a) les origines de Lyon.
   b) les endroits à visiter.
   c) les mœurs lyonnaises.

4) Les mots en caractère gras sont...
   a) tous les monuments.
   b) les monuments ou lieux importants.
   c) les noms des quartiers de la ville.

5) Le texte est organisé selon...
   a) les parties de la ville.
   b) les thèmes à aborder.
   c) l'histoire de la ville.

6) Le texte divise la ville en...
   a) deux zones.
   b) trois zones.
   c) quatre zones.

Parler

1 Par groupes de 3, jouez la situation. Vous travaillez à l'office de tourisme de Lyon et vous renseignez un des groupes de personnes suivants.

1) Un couple de professeurs d'une quarantaine d'années, amateurs d'art moderne et qui adorent la musique classique. Ils disposent de deux jours à Lyon.
2) Un couple avec deux enfants de dix et douze ans qui passent une journée à Lyon.
3) Deux retraités passionnés d'histoire et qui aiment la bonne cuisine.
4) Deux étudiants qui vont passer quelques heures à Lyon.

Pour demander quelque chose poliment : *Je voudrais / Nous voudrions.*

2 Présentez votre quartier au reste de la classe.

1) Indiquez le nom du quartier.
2) Décrivez-le.
3) Dites les avantages et les inconvénients de votre quartier.
4) Y-a-t-il dans la classe des habitants du même quartier ? Si oui, font-ils la même description du quartier et sont-ils d'accord sur ses avantages et inconvénients ?

▲ Lyon

420.000

11 km

pl. Bellecour. Tel : 78717000

Musée de la Civilisation Gallo-romaine
Ouv. du mer. au dim.
Fermé les jours fériés.

Musée de l'Imprimerie
Ouv. du mer. au dim.
Fermé les jours fériés.

Musée des Tissus
Ouv. du mar. au dim.
Fermé les jours fériés.

Musée des Arts Décoratifs
Ouv. du mar. au dim.
Fermé les jours fériés.

La Maison des Canuts
Ouv. du lun. au sam.
Fermée les jours fériés.

Deuxième ville de France, Lyon est le chef-lieu du département du Rhône et de la Région Rhône-Alpes. Située entre le Nord et la Méditerranée, elle est proche de l'Allemagne, de la Suisse et de l'Italie.

Traditionnellement marchande et industrielle, c'est aussi le pays de la bonne cuisine avec de nombreuses spécialités culinaires (quenelles, charcuterie) que l'on déguste dans les petits bistrots typiques appelés « bouchons ».

Le Vieux Lyon se divise entre les quartiers de Saint-Jean, Saint-Paul et Saint-Georges, et forme le plus grand ensemble urbain Renaissance d'Europe. On trouve deux théâtres romains : le Grand Théâtre (108 m de diamètre), le plus ancien de France et l'Odéon aux dimensions plus réduites. Le musée de la Civilisation Gallo-romaine évoque la vie de Lyon pendant l'Antiquité.

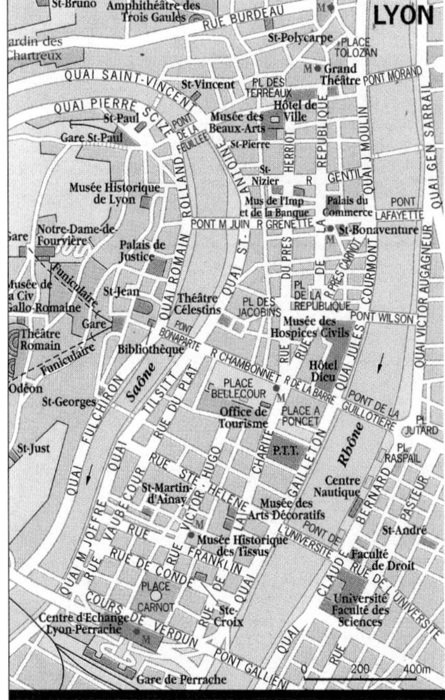

Dans le vieux quartier de Fourvière, se dressent aussi la basilique Notre-Dame-de-Fourvière (XIXe siècle) et la cathédrale de Saint-Jean qui possède une horloge astronomique du XIVe siècle.

130

La Presqu'île, cœur de la ville, se situe au nord du confluent du Rhône et de la Saône. Sur la place des Terreaux, on trouve une fontaine monumentale et l'Hôtel de ville. L'Opéra dispose actuellement d'un des plateaux scéniques les plus modernes d'Europe. Le musée des Beaux-Arts, véritable petit Louvre, possède des collections très variées, depuis les antiquités égyptiennes à l'art du XXe siècle. Le musée de l'Imprimerie retrace l'histoire du livre et l'évolution de la presse et des moyens d'impression. La ville possède également le musée des Tissus, le musée du Cinéma, le musée d'Histoire Naturelle, et le tout nouveau musée d'Art Contemporain, situé entre le Rhône et le grand parc de la Tête d'Or (où se trouve également le zoo) qui organise les célèbres biennales d'Art contemporain.

La Croix-Rousse est un vieux quartier au nord de la ville, autrefois le domaine des canuts, ouvriers spécialisés dans le tissage de la soie. On trouvera les célèbres traboules, ruelles couvertes destinées à protéger les précieux tissus. Enfin, la Maison des Canuts vous montrera tous les secrets de la production de la soie.

Ne manquez pas !

- ◆ Les théâtres romains
- ◆ Le musée de la civilisation Gallo-romaine
- ◆ Le vieux Lyon

131

3 Par groupes de 2, jouez cette scène : un(e) ami(e) va s'installer chez vous pendant quelques semaines. Vous partez plusieurs jours et vous lui indiquez où se trouvent les endroits les plus utiles (l'arrêt de bus, le métro, le supermarché, la poste, la boulangerie...).

Réfléchissons !
Depuis la leçon 1, vous avez réalisé beaucoup de dramatisations. Quelle est votre stratégie ?

- J'invente le dialogue dans ma langue et je le traduis après en français.
- Je prépare le dialogue à partir de ce que je sais déjà.
- Je consulte le livre et le cahier pour sélectionner tout le matériel à utiliser.
- Je lis attentivement les consignes.
- Je pense à mon personnage et je tente de lui donner un âge, un caractère...
- Je prépare le dialogue par écrit et ensuite je le lis.
- Je prépare le dialogue par écrit, je l'apprends et ensuite je le joue.
- Nous nous corrigeons mutuellement à l'intérieur du groupe avant de jouer la scène.
- Pour la correction, je pense aux critères d'évaluation déjà vus.
- Je consulte un dictionnaire.
- Je prépare la prononciation, les intonations et les gestes.

Commentez vos réponses avec le groupe-classe.

Lire

1 Lisez ces cartes postales.

le 3 mars

Salut Nicolas,

Je suis à Paris, comme tu vois. Je n'ai pas le temps de faire du tourisme, mais je viens de t'acheter une petite surprise. Ici il fait froid !
Et toi ? Tu travailles bien ?
Je t'embrasse bien fort.
À la semaine prochaine.

Papa

Nicolas Portier
22 rue Blanche
64100 Bayonne

Chère Valérie,

Nous sommes sous un palmier, sur la plage. On regarde l'océan bleu et calme devant nous. La température est idéale et les filles très belles. Et toi, comment ça va ? On espère que tu t'amuses bien.
Amicalement,

Paul et Arthur

Mlle Rigodon
29 rue de Naples
06000 Nice

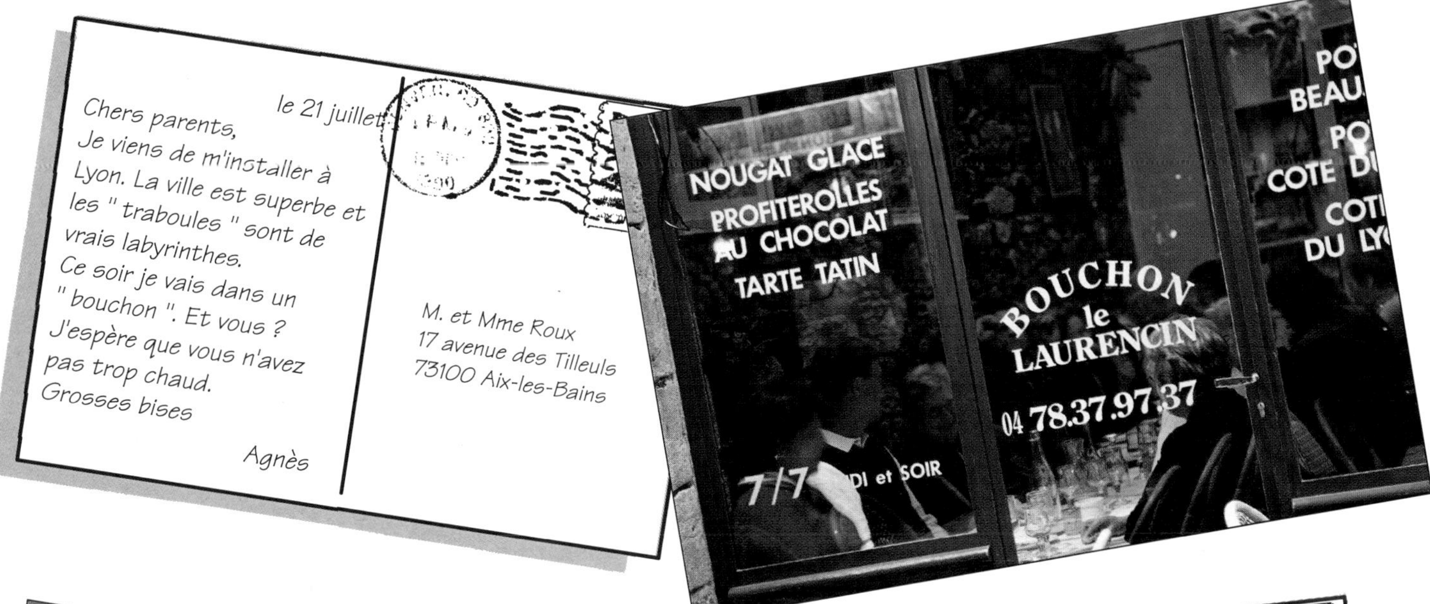
le 21 juillet

Chers parents,
Je viens de m'installer à Lyon. La ville est superbe et les " traboules " sont de vrais labyrinthes.
Ce soir je vais dans un " bouchon ". Et vous ?
J'espère que vous n'avez pas trop chaud.
Grosses bises

Agnès

M. et Mme Roux
17 avenue des Tilleuls
73100 Aix-les-Bains

Meilleurs souvenirs de Sète.
À bientôt
Claire

Angela Rozas Plinio
C/ Bogatell, 15 1° A
08027 Barcelona
ESPAGNE

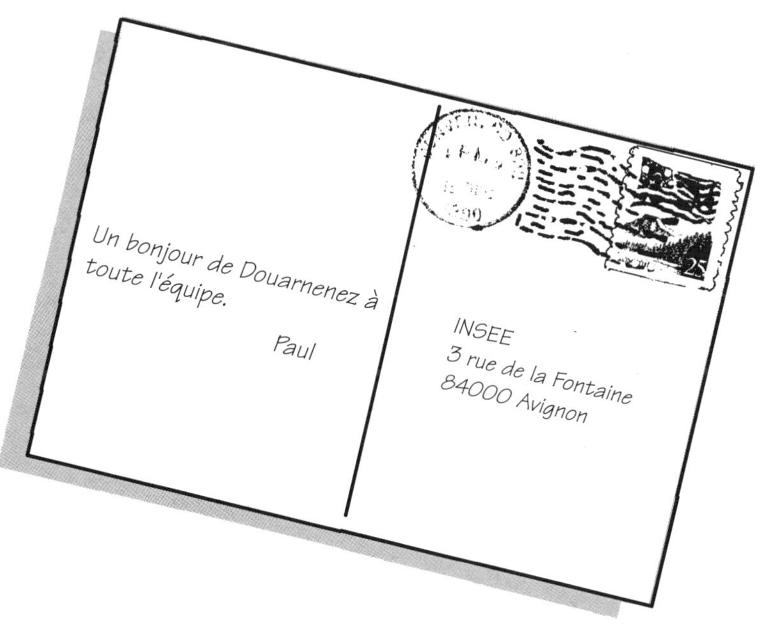
Un bonjour de Douarnenez à toute l'équipe.

Paul

INSEE
3 rue de la Fontaine
84000 Avignon

2 Quelles formules utilise-t-on pour commencer une carte postale ? Pour situer dans l'espace ? Pour demander des nouvelles ? Pour finir ?

3 Utilise-t-on les mêmes formules pour un ami, pour un membre de la famille ou pour une personne peu connue ?

Écrire

À votre tour, écrivez une carte postale à un(e) ami(e), un membre de votre famille et / ou un(e) collègue de travail.

Situation 1 > Voyage d'affaires

1 Écoutez et choisissez l'option correcte.

1) Sylvie est...
   a) une amie de M. Jourdan.
   b) une employée de M. Jourdan.
   c) la femme de l'autre personnage.

2) Elle a dans son travail...
   a) un poste avec certaines responsabilités.
   b) un poste tout à fait subalterne.
   c) On ne sait pas.

3) Elle travaille pour...
   a) une administration locale.
   b) une entreprise nationale.
   c) une grande entreprise internationale.

4) Elle travaille dans...
   a) le secteur des énergies alternatives.
   b) le secteur des énergies traditionnelles.
   c) un organisme pour la défense des consommateurs.

5) Pour M. Jourdan, Sylvie doit s'occuper de...
   a) préparer un voyage de loisirs et changer un de ses rendez-vous.
   b) préparer un voyage d'affaires.
   c) préparer un voyage d'affaires et changer un de ses rendez-vous.

6) Les pays cités dans cette conversation sont...
   a) la Colombie et le Portugal.
   b) la Colombie et le Sénégal.
   c) l'Italie et le Portugal.

2 Par petits groupes, commentez.

Quels mots et quelles expressions de la situation vous permettent de comprendre le type de relations qui existent entre les deux personnages ?
À votre avis, quel poste occupe Sylvie ?

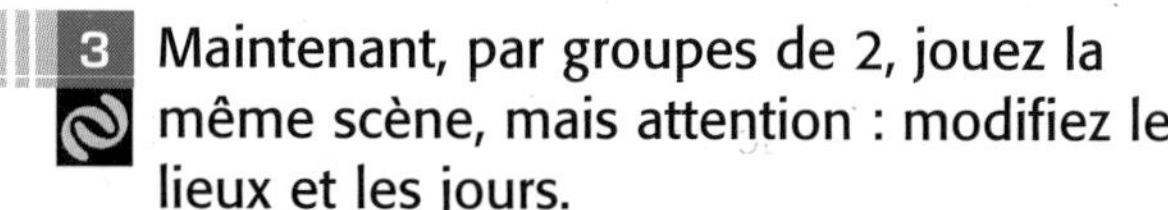

3 Maintenant, par groupes de 2, jouez la même scène, mais attention : modifiez les lieux et les jours.

- Ah, Sylvie, je viens d'avoir monsieur Lamborini au téléphone, il faut envoyer un technicien-conseil en Italie, à Taormine.
- C'est pour l'installation de ces chauffe-eau solaires dans le club vacances ?
- Oui. Est-ce que monsieur Montand est là ?
- Non monsieur, aujourd'hui, il est à Martigues, il rentre demain.
- Bon, on peut attendre demain. Ah, souvenez-vous que je dois aller au Portugal cette semaine, pour rencontrer ce nouveau client à Lisbonne.
- Très bien, monsieur, vous voulez partir quand ?
- Jeudi vers midi, avec retour vendredi en fin d'après-midi.
- Mais monsieur, et ce rendez-vous avec madame Potier, jeudi, à 10 heures ?
- Oui, vous avez raison, rappelez-la et voyez avec elle si c'est possible mercredi après-midi.
- Entendu. Pour Lisbonne, je vous réserve une chambre dans le centre-ville ou près de l'aéroport ?
- Je préfère le centre, vous savez, dans cet hôtel où va toujours monsieur Fontaine.
- Bien, j'appelle l'agence immédiatement.

Situation 2 > Ils cherchent un appartement

1 Écoutez le dialogue et dites si c'est vrai ou faux.

1) Éric et la sœur de Fiona cherchent un appartement parce qu'ils viennent de rentrer du Québec.
2) Ils reviennent d'un très court voyage.
3) Ils veulent louer un appartement à Lyon.
4) L'appartement de Clotilde va être libre parce qu'elle part travailler en Allemagne.
5) L'appartement de Clotilde est en plein centre de Paris.
6) Fiona a l'air d'apprécier l'appartement que lui décrit son amie.

2 Fiona, justement, va dîner avec sa sœur et Éric. Pour se rappeler exactement les informations que son amie vient de lui donner, elle décide de les noter sur son agenda. Que va-t-elle noter à propos...

1) de l'emplacement de l'appartement ?
2) des moyens de transport ?
3) des caractéristiques de l'appartement ?
4) de l'étage ?
5) des conditions économiques ?
6) du téléphone de contact ?

■ Jourdan chauffe-eau solaires, bonjour !
■ Salut Sylvie, c'est Fiona, tu as un moment ?
■ Oui, mais fais vite, je suis débordée aujourd'hui !
■ Juste une question, c'est pour ma sœur et Éric !
■ Ah bon, ils sont ici ?
■ Oui ! Ils viennent de rentrer du Québec et ils cherchent un appart. Tu ne connais pas quelque chose à louer ?
■ Si, justement ! Clotilde part comme assistante dans un lycée en Allemagne, elle laisse son trois-pièces.
■ Où ? il est loin d'ici ?
■ Il est en banlieue, à Créteil, mais le métro est tout près de chez elle, en 20 minutes on est à Paris.
■ Et tu le connais, cet appart ? Il est bien ?
■ Oh, il est clair et calme, il a deux chambres, une grande salle à manger.
■ Et la cuisine ?
■ La cuisine, elle n'est pas grande mais elle est équipée.
■ Et c'est à quel étage ?
■ Au deuxième, avec ascenseur.
■ Alors maintenant, la grande question : il est cher ?
■ Pas trop !... Attends une seconde ! Bonjour M. Grandjean. M. Jourdan ne va pas tarder. Asseyez-vous. Bon, je dois te laisser. Ah ! il faut payer une commission à l'agence immobilière.
■ Bon, on va voir, donne-moi le numéro de téléphone de Clotilde. Je vais l'appeler ce soir.

3 Vérifiez vos réponses avec la transcription.

Les adjectifs démonstratifs

	MASCULIN	FÉMININ
SINGULIER	**ce** salon **cet*** étage	**cette** cuisine
PLURIEL	**ces** appartements **ces** chambres	

* Devant un nom masculin commençant par une voyelle ou par un *h* muet.

À QUOI ÇA SERT ?

- À désigner des objets ou des personnes présents dans la situation : *J'habite dans* ***cet*** *appartement.*
- À faire référence à un objet ou à une personne déjà cités : *Nous partons en Corse.* ***Cette*** *île est merveilleuse en été.*

Attention à la prononciation !
Distinguez *ce livre* [sə] et *ces livres* [se].
Prononcez de la même façon *cet* et *cette*.

1 Complétez avec l'adjectif démonstratif qui convient.

1) ... cuisine n'est pas grande mais elle est très bien équipée.
2) ... meubles sont horribles !
3) Tu veux louer ... deux-pièces ? Pas de problème, j'en parle à Clotilde.
4) ... ascenseur tombe en panne très souvent.
5) ... chambres sont trop petites !
6) ... salle de bains est très lumineuse.
7) ... appartements sont très chers.

Les pronoms compléments d'objet direct (C.O.D.)

Observez ces phrases.

Quels noms remplacent les pronoms soulignés ?

Bon, Pierre, je dois te laisser.
Et tu le connais, cet appart ?
Tu as le numéro de téléphone de Clotilde ? Je vais l'appeler ce soir.

	SINGULIER	PLURIEL
1re pers.	**me (m') / moi***	**nous**
2e pers.	**te (t') / toi***	**vous**
3e pers.	**le / la / l'**	**les**
* Avec des verbes à l'impératif affirmatif.		

À QUOI ÇA SERT ?

- À remplacer un nom (animé ou non animé) complément d'objet direct : *J'aime Éric.* → *Je* ***l'****aime.* *Je n'aime pas Éric.* → *Je ne* ***l'****aime pas.*

Attention !
Le C.O.D. n'est jamais précédé d'une préposition.
Je connais Gwenaëlle depuis longtemps. → *Je* ***la*** *connais depuis longtemps.*
Vous rencontrez les nouveaux clients à midi. → *Vous* ***les*** *rencontrez à midi.*

LA PLACE DES PRONOMS C.O.D.

Relisez les exemples. Où place-t-on le C.O.D. quand le verbe est au présent ? Où place-t-on le C.O.D. quand le verbe est à l'infinitif ?

Observez les phrases à l'impératif affirmatif et négatif.
Écoute le dialogue. → *Écoute-****le.*** → *Ne* ***l'****écoute pas.*
Corrigeons la dictée. → *Corrigeons-****la.*** → *Ne* ***la*** *corrigeons pas.*
Ouvrez les livres. → *Ouvrez-****les.*** → *Ne* ***les*** *ouvrez pas.*

Où se place le pronom dans chaque cas ?

2 Complétez avec un pronom C.O.D.

1) Le fromage, les Français ... mangent à la fin du repas.
2) Écoute-..., ce que j'ai à te dire est important.
3) Ne ... interromps pas quand je te parle.
4) Mon mari, je ... aime comme au premier jour.
5) Nous allons être à l'heure parce que Pierre ... emmène.
6) Cette ville, je ... connais très bien.
7) Le métro, je ... prends tous les jours.
8) Les appartements du centre-ville, on ... vend très cher.

La situation dans l'espace (2)

	Dire où on est / où on va *(être, habiter, travailler / aller, partir...)*	Dire d'où on vient *(arriver, venir...)*
NOMS DE PAYS ET CONTINENTS	en France (la France) en Asie (l'Asie) au Portugal (le Portugal) en Iran (l'Iran) aux Pays-Bas (les Pays-Bas)	de Pologne (la Pologne) d'Afrique (l'Afrique) du Sénégal (le Sénégal) d'Afghanistan (l'Afghanistan) des États-Unis (les États-Unis)
RÉGIONS ET PROVINCES	en Savoie (la Savoie) en Alsace (l'Alsace) dans le Limousin (le Limousin) dans les Landes (les Landes)	de Lorraine (la Lorraine) d'Aquitaine (l'Aquitaine) du Périgord (le Périgord) des Vosges (les Vosges)
NOMS DE VILLES	à Poitiers à Lille mais : au Havre (Le Havre)	de Nice d'Annecy mais : du Mans (Le Mans)
NOMS DE RUES ET PLACES	place de la Nation square Lamartine	de la rue Mouffetard du boulevard Saint-Michel

3 Rappelez-vous les SITUATIONS.

1) Où doit aller M. Jourdan ?
2) D'où reviennent Éric et la sœur de Fiona ?

4 Un peu de géographie ! Dans quel pays se trouvent les monuments suivants ?

1) le Sacré-Cœur
2) le Machu-Pichu
3) le Kremlin
4) le Colisée
5) la basilique Saint-Pierre
6) Chichen-Itza
7) le Parthénon
8) l'Empire State building

5 Complétez les phrases suivantes.

1) Notre directeur revient ... États-Unis la semaine prochaine.
2) Mes voisins ont vécu ... Sénégal pendant 10 ans.
3) Ses parents habitent ... Espagne, ... Séville.
4) À son retour ... Portugal, son entreprise l'a envoyé ... Brésil.
5) Mon nouveau collègue travaillait ... Savoie avant d'arriver ... Limousin.
6) Il a rencontré sa femme ... Iran, pendant une opération humanitaire.

L'expression de l'obligation

Observez ces phrases.

***Il faut envoyer** un technicien-conseil à Taormine.*
***Je dois aller** au Portugal.*

Pour exprimer l'obligation on utilise :

- la construction impersonnelle *il faut* + infinitif.
- le verbe *devoir* conjugué + infinitif.

6 Imaginez. Une directrice énumère à sa secrétaire les activités à réaliser au cours de la journée.

LE LOGEMENT DE VOS RÊVES

1 Sélectionnez parmi les options suivantes les caractéristiques du logement de vos rêves.

1) C'est...

- ☐ un appartement.
- ☐ une maison.

2) Il / Elle est...

- ☐ au centre-ville.
- ☐ en banlieue.
- ☐ à la campagne.
- ☐ au bord de la mer.
- ☐ à la montagne.

3) Il / Elle est...

- ☐ spacieux / spacieuse.
- ☐ petit(e).
- ☐ ensoleillé(e).
- ☐ calme.
- ☐ accueillant(e).
- ☐ clair(e).

4) Il / Elle a...

- ☐ un jardin.
- ☐ un balcon.
- ☐ une terrasse.
- ☐ une piscine.

IMMO-PARIS

À vendre, centre-ville. Très bel appartement au 3e étage, 120 m², entrée, grand séjour, 3 chambres, bureau, 2 salles de bains, ascenseur, terrasse réf : N480.

AQUITAINE

À louer, situation exceptionnelle, belle maison en pierre, 2 étages, séjour avec cheminée, grand salon, cuisine équipée, 4 chambres, tout confort, jardin et garage 480 € par semaine. Tel : 05-59-90-23-52

2 Faites le plan avec toutes les pièces et décrivez-le à votre voisin(e).

le salon / le séjour / la salle à manger / la chambre / le bureau / la cuisine / la salle de bains / les w.-c. / le couloir / la terrasse / le balcon

3 Rédigez votre petite annonce pour trouver votre logement. Aidez-vous des annonces ci-desus.

4 Voici quelques meubles. Où les mettez-vous ?

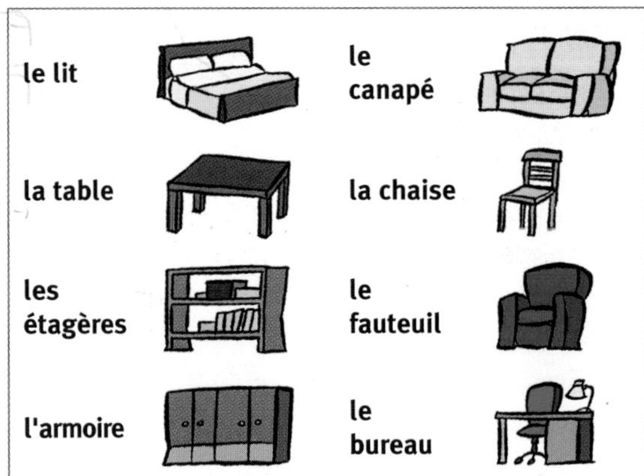

5 Où habitez-vous ?

Au rez-de-chaussée ou à l'étage ? À quel étage ?

Les adjectifs ordinaux

premier (première), deuxième /second(e), troisième, quatrième..., vingtième, vingt et unième, vingt-deuxième...

[e] / [ɛ] / [ø]

1 Vous savez reconnaître la différence entre [e] de équipée , [ɛ] de elle et [ø] de deux ? Écoutez et dites si les deux mots prononcés sont identiques ou différents.

a)

[e] / [ɛ]	1	2	3	4	5	6	7	8
=								
≠								

b)

[e] / [ø]	1	2	3	4	5	6	7	8
=								
≠								

Qu'est-ce que la Francophonie ?

Une communauté linguistique <

Comme son nom l'indique, la Francophonie regroupe l'ensemble des personnes qui parlent habituellement français dans le monde, soit comme langue première, soit comme langue seconde. Selon les pays ou régions, le français est langue maternelle, ou bien il est langue officielle et administrative, ou encore langue d'enseignement. Dans certains pays, il existe des minorités francophones comme la Louisiane aux États-Unis.

> Un passé commun

C'est dans l'histoire qu'il faut rechercher les origines de cette communauté linguistique. En effet, la majorité des pays sont d'anciennes colonies françaises ou belges. C'est le cas essentiellement des pays africains, du Québec et de la Louisiane. D'autres gardent des relations privilégiées avec la langue française grâce au rayonnement diplomatique et culturel de la France, en Europe, au XVIIIe siècle.

→ *Léopold Sedar Senghor, un des fondateurs de la Francophonie.*

Une organisation politique <

50 États et gouvernements participent aux sommets de la Francophonie. Ces sommets sont organisés tous les deux ans dans un pays différent. Un des organismes de l'O.I.F. (Organisation Internationale de la Francophonie), est l'A.C.C.T., l'Agence de la Coopération Culturelle et Technique, créée en 1970 au Niger afin de développer des programmes de coopération dans de nombreux secteurs : l'enseignement, la recherche, les médias, le commerce...

1 Pouvez-vous citer des pays francophones ?

2 Que savez-vous d'autre au sujet de la Francophonie ?

3 Existe-t-il une organisation similaire liée à votre langue ?

Retrouvez dans la leçon les expressions pour :

expressions pour...

- Décrire un logement.
- Parler des caractéristiques d'un logement.
- Demander des renseignements sur un logement et sur un voyage.
- Exprimer l'obligation.
- Demander et donner des conseils et des ordres.
- Situer des villes, des pays, des maisons.
- Exprimer son accord.

Parler

1 Devinette.

Par groupes, choisissez un objet ou une chose. Expliquez au reste de la classe sa fonction et son usage sans jamais le / la nommer. Le groupe-classe devine de quoi il s'agit.

2 Préparation des vacances.

Par groupes de 2, préparez ce dialogue.
Vous allez partir en vacances avec un(e) ami(e). Vous cherchez un logement.
Chacun(e) a sélectionné deux annonces. Vous vous téléphonez.

Ancien bâtiment de ferme rénové avec entrée indépendante de l'habitation du propriétaire. 2 ch. (1 lit 2 pers., 1 lit 1 pers.), s. d'eau et w.-c. privés pour chacune. Petit déjeuner servi dans véranda. Poneys sur place, balades accompagnées. Tarifs spéciaux pour les séjours de plus de quatre nuitées.

 7
 2
 4
 2
 3

1 Pers	2 Pers	3 Pers
30€	40€	50€

Hervé Courtic
Vannes
Morbihan
Tél. 02 97 75 01 37

Stéphanie et Hervé vous accueillent dans leur ancienne maison rénovée de Vannes. Située dans le centre-ville, elle dispose de 2 ch. 2 pers. avec s.d.b../w.-c. privés, coin-cuisine, lave-vaisselle et télé.

 1
 2
 1
 2
 3

1 Pers	2 Pers	3 Pers	4 Pers
32€	42€	50€	55€

Provence-Alpes-Côte d'Azur

Saint-Paul-de-Vence
Ferme Saint-Jacques
Boris Daniel

Tél. 04 93 32 10 29

Rez-de-chaussée. Séjour avec cheminée, cuisine, 1 ch. (1 lit 2 pers. et 1 lit 1 pers.), 1 ch. (2 lits 1 pers.). S. de bains. w.-c. TV. Parking. Terrasse (18 m²). Terrain (1500 m²). Chauffage électrique. Lave-linge. Piscine sur place. Ski (45 km).

5

3

3

Prix : 202 € / semaine

97 € / week-end

Richard Roué

Saint-Étienne-de-Tinée

Tél. 04 93 02 47 10

Maison de caractère. Rez-de-chaussée : séjour avec cheminée, cuisine, w.-c., 1 ch. (1 lit 2 pers.), 1 ch. (1 lit 1 pers.). Étage : 1 ch. (2 lits 2 pers.), 1 ch. (1 lit 2 pers.), salle de bains. Barbecue. Jeu de boules.
Piscine et tennis dans le village. Stations de ski à 7 km.

2

3

20

Prix : 210 € / semaine

100 € / week-end

---

3 Petites annonces.

Par 2, jouez la scène.
Vous cherchez un studio ou un appartement à Marseille. Vous avez retenu les petites annonces suivantes.
Vous téléphonez pour vous renseigner plus précisément sur chaque logement et pour prendre rendez-vous afin de les visiter.

Vauban – 2° ét. 39 m2. 385 €. Refait neuf. Double vitrage, porte blindée. Immeuble ancien de 2 étages. Entrée, séjour, chamb., cuisine éq., s/d'eau, ch. gaz. Proximité bus et commerces. IMMOB, 65 rue de Rome, 13006 Mareseille – 04 91 90 33 22

St. Louis 1° ét. 42 m2. 336 €. Bon état. Immeuble ancien de 4 étages. Lumineux, calme. Moquette. Entrée, séj., chamb., coin cuis., s/d'eau, wc, ch. élec., balcon, proximité bus et écoles. IMMOB, 65 rue de Rome, 13006 Marseille. 04 91 90 33 22

Marseille, La Canebière. Loue studio 4° étage, salle de bains, chauff. Indépendant. Charges 100 € / trim. Prix : 480 € / mois. Tel. : 04 91 85 42 10

Louons chambre dans un appartement rue de la Charité. Séjour, cuisine, salle de bains, wc, chauffage gazindividuel. Charges : 80 € / trim. Prix : 300 € / mois.

1 Voici quelques conseils donnés aux voyageurs avant de partir. À quelle catégorie correspond chacun de ces conseils ?

automobile - santé - législation dans le pays de destination - enfants mineurs
documents d'identité et visas - argent - sécurité

1. Gardez chez vous la photocopie des documents que vous emportez (à récupérer en cas de perte ou de vol à l'étranger).
2. N'acceptez jamais un colis d'un inconnu.
3. Souscrivez une assurance maladie et de rapatriement adaptée à votre pays de destination.
4. Vérifiez les formalités d'entrée et de séjour au consulat ou à l'ambassade du pays de destination.
5. Si l'enfant voyage seul, il ne peut pas voyager avec le passeport de ses parents.
6. L'enfant mineur doit voyager avec sa carte d'identité ou son passeport, s'il ne figure pas sur celui de ses parents.
7. Renseignez-vous sur le montant que vous pouvez retirer par semaine avec votre carte bancaire.
8. Emportez un minimum d'objets de valeur, déposez-les dans les coffres-forts des hôtels et ne les laissez pas en vue dans un véhicule en stationnement.
9. Vérifiez que vous avez les moyens de paiement nécessaires (argent liquide, chèques de voyage, carte de crédit...)
10. Il faut respecter la législation locale, en particulier sur les mœurs, l'alcool et les stupéfiants.
11. Informez-vous sur les conditions sanitaires de votre pays d'accueil, notamment sur les mesures préventives (vaccinations, règles d'hygiène...)
12. Vous devez respecter les usages et la religion du pays de destination. Il convient de respecter les attitudes et les règles vestimentaires.
13. Il faut se renseigner sur les règles du code de la route du pays de destination.
14. Vérifiez les documents nécessaires pour votre véhicule automobile (permis de conduire international, carte grise, carte internationale d'assurance...)

2 Quels conseils vous semblent importants pour les voyageurs suivants ?

1) Une famille avec des enfants mineurs qui part en Suisse.
2) Un jeune couple qui veut aller en Inde.
3) Deux amis qui partent en voiture au Maroc.

Réfléchissons !
Quelle stratégie utilisez-vous pour comprendre un mot nouveau ?

- Je pense au type de document que je lis.
- Je lis la phrase en entier pour comprendre globalement le sens.
- Je le classe grammaticalement pour voir sa fonction dans la phrase.
- J'essaye de voir si je connais une partie de ce mot, par exemple, la racine, le préfixe, la terminaison...
- Je fais une hypothèse sur ce qu'il peut vouloir dire.
- Je cherche dans un dictionnaire.

3 Lisez la lettre suivante.

> M. Tonton
> 15, rue des Pierres
> 13006 Marseille
> tonton@wanadoo.fr
>
> Marseille, le 15 mai
>
> Chère Madame,
> Nous venons de lire dans le magazine "Maison vacances" votre proposition d'échange de maison du 15 juillet au 15 août.
> Nous habitons à Marseille, en face du vieux port. Le quartier est calme et situé au cœur de la ville. Notre appartement est confortable et ensoleillé. Nous avons un grand salon-salle à manger, trois chambres spacieuses avec des lits à deux places, deux salles de bains, une cuisine et une petite terrasse avec des plantes. Toutes les pièces sont climatisées.
> Notre fils de 12 ans, Julien, apprend l'espagnol au collège.
> Un voyage dans votre pays serait l'occasion de parler une langue qu'il aime beaucoup.
> Si notre proposition vous intéresse, contactez-nous par lettre, mail ou téléphone.
> Recevez nos sincères salutations.
>
> Michel Tonton

4 **Identifiez dans la lettre les éléments suivants :** nom et adresse de l'expéditeur, lieu et date, formule d'appel, formule finale.

5 **Classez les formules d'appel et les formules finales selon qu'elles servent pour écrire à un ami ou à un membre de sa famille, ou pour écrire à une personne qu'on ne connaît pas.**

a) Cher Benoît,
b) Ma chère Claude,
c) Amicalement
d) Recevez l'expression de mes sentiments les meilleurs.
e) Cordiales salutations
f) Cher monsieur,
g) Monsieur, Madame
h) Je vous embrasse bien affectueusement.
i) Amitiés
j) Grosses bises
k) Recevez mes sincères salutations.

Répondez à la lettre de monsieur Tonton.

GRAMMAIRE

1 Choisissez la bonne réponse.

1) Souviens-... que nous terminons à 4 h.
   a) nous b) toi c) vous
2) La librairie est juste à côté ... cinéma.
   a) le b) du c) de
3) ... homme est très riche, il a un palais.
   a) Cette b) Ce c) Cet
4) Tu ... réfléchir avant de parler !
   a) dois b) faut c) fais
5) Elle veut passer ses vacances ... Portugal.
   a) à b) au c) en
6) Elle ... d'apprendre la bonne nouvelle !
   a) va b) vient c) a
7) Ne ... pas la porte ! Il fait chaud !
   a) ferme b) fermes c) fermer
8) Ne ... couche pas sur la pelouse.
   a) tu b) te c) toi
9) Demain, j'ai un rendez-vous ... le dentiste.
   a) au b) à c) chez
10) ... se couche plus tôt ... France qu'... Espagne.
   a) On - au - en b) On - en - en
   c) En - en - en
11) Le train va partir, ... faut se dépêcher !
   a) il b) on c) elle
12) J'habite ... Lille mais je travaille ... Belgique.
   a) à - à la b) en - à c) à - en
13) ... banlieue est trop loin de la ville.
   a) Ce b) Cet c) Cette
14) Ne ... inquiétez pas, tout va s'arranger !
   a) m' b) t' c) vous
15) La voiture est garée ... le supermarché.
   a) devant b) en face c) à côté de
16) La directrice ... de partir !
   a) a b) vient c) va

PRONONCIATION

2 Écoutez. Quelle phrase entendez vous ?

1) a) Elle est pure. b) Elle est pire.
2) a) Voici les faits. b) Voici les fées.
3) a) Quel joli nez ! b) Quel joli nœud !
4) a) Tu veux ce livre ? Je te le prête.
   b) Tu veux ces livres ? Je te les prête.
5) a) Il a deux amis.
   b) Il a des amis.
6) a) Vous n'êtes pas sourds.
   b) Vous n'êtes pas sûrs.
7) a) Elle montre un dé.
   b) Elle montre un dais.
8) a) Elle a une bonne vie.
   b) Elle a une bonne vue.

LEXIQUE

3 Complétez cette lettre.

Aix-en-Provence, le 18 septembre

Chère Vanessa,

Comment vas-tu ? Moi, ça y est, je suis inscrite à l'université. Aix est une ... (1) agréable et le cours Mirabeau est une avenue très animée, pleine de cafés. Je suis contente, j'ai trouvé un logement grâce à une petite ... (2) à la fac. Je partage un ... (3) avec deux autres étudiants. Il n'y a pas d'... (4) mais il est au deuxième ... (5), alors ça va. La ... (6) est petite mais équipée et il y a une grande ... (7) très claire. On a chacun notre ... (8) avec le strict minimum : un ... (9), bien sûr, une ... (10) pour les vêtements et un bureau pour étudier. Dans le ... (11), on trouve de tout pour faire les courses et Ugo, mon colocataire, dit qu'au ... (12) de la rue, il y a une ... (13) qui offre un service de croissants à domicile le dimanche matin et qu'il faut voir le ... (14) de fruits, légumes et produits régionaux sur la place, car il est très pittoresque.

U3 BILAN COMMUNICATION : PORTFOLIO, PAGE 11

UNITÉ

4 Le temps qui passe

OBJECTIFS

- Communiquer de façon simple dans des échanges amicaux ou formels, directs ou à la radio.
- Se situer dans le temps (présent ou passé).
- Comprendre et raconter des événements de la vie passée.
- Demander / Donner des informations sur le climat.
- Donner son opinion, montrer son accord / désaccord sur un thème de société.
- Comprendre et écrire de courts textes narratifs.
- Découvrir des périodes de l'histoire de France.
- Découvrir des stratégies d'écriture.
- Appliquer des stratégies de mise en pratique du discours oral.
- Faire le point sur son apprentissage.

L7 LEÇON 7

COMMUNICATION	GRAMMAIRE	LEXIQUE	PRONONCIATION	CIVILISATION
▸ Conversation amicale et monologue ▸ Relations affectives ▸ Registres familier et standard ▸ Prise de parole / de position, marques de l'émotivité	▸ *Être en train de* + infinitif ▸ *Être sur le point de* + infinitif ▸ Passé composé (forme affirmative) ▸ Négation (2)	▸ Événements de la vie ▸ Études ▸ Carrière professionnelle ▸ Marqueurs temporels	▸ [ɛ] / [œ] / [ɔ]	▸ Un peu d'histoire (1)

L8 LEÇON 8

COMMUNICATION	GRAMMAIRE	LEXIQUE	PRONONCIATION	CIVILISATION
▸ Émissions de radio (météo, débat) ▸ Registre standard ▸ Critique, accord, désaccord ▸ Commentaires (société) ▸ Lettre amicale narrative	▸ Passé composé (forme négative) ▸ Pronoms C.O.I. ▸ Discours indirect	▸ Temps et climat ▸ Vêtements	▸ [b] / [v] / [f]	▸ Un peu d'histoire (2)

Situation 1 > 20 ans après !

1 Écoutez et répondez aux questions. Justifiez vos réponses.

1) Est-ce que les deux personnages se connaissent bien ?
2) Se voient-ils souvent ?
3) Que décident-ils avant de se séparer ?
4) Se séparent-ils rapidement ?

2 Réécoutez le dialogue. Quels sont les mots ou groupes de mots qui manquent dans la transcription ci-contre ?

3 Quels sont les points communs et les différences entre les deux personnages ?

4 Réécoutez le dialogue et comparez vos réponses avec votre voisin(e).

- Ça alors ! Mais c'est Jean Lenoir ! ? ?
- Oui ! Georges ! ...(1)... Tu habites à Poitiers, maintenant ?
- Non, non, je suis venu voir ...(2)... ! Je suis arrivé ...(3)... et je pars lundi prochain. Mais et toi ? ...(4)... ?
- Très bien... Mais dis, il y a combien de temps qu'on ne s'est pas vus ?
- Voyons... 20 ans environ... Mais tu sais que tu n'as pas changé !
- Toi non plus... Quelques kilos de plus ...(5)... ! Dis-moi, qu'est-ce que tu es devenu, l'intellectuel ?
- Eh bien, après le Bac, je suis parti à Marseille à la fac, et j'ai fait une licence de maths. Maintenant, ...(6)... dans un lycée, dans l'Est, près de Strasbourg ! Et toi ? Toujours sportif ?
- Un peu moins maintenant ! Eh bien moi, je n'ai pas fait d'...(7)... universitaires... J'ai pas voulu ! J'ai préféré le commerce... J'ai repris le bureau de tabac ...(8)...
- Très bien et dis-moi : tu es marié ? Tu as des enfants ?
- Oui, je me suis marié très jeune et j'ai eu deux enfants : ...(9)...
- Moi non. Je n'ai pas eu de chance en amour !
- Mais t'inquiète pas ! ...(10)... beau !... Oh midi dix ! Excuse-moi, je suis pressé ! Je vais chercher mon fils à l'école... Voilà ma carte de visite. Téléphone-moi ! Je voudrais te présenter ma femme et mes enfants !
- Oh, avec plaisir ! Entendu ! Je te passe un coup de fil !

Situation 2 > J'ai appris à 50 ans que j'étais une enfant adoptée !

1 Écoutez cet enregistrement d'une émission de radio.

2 Dites si c'est vrai ou faux.

1) Madame Juliette Skoudy est une femme de cinquante ans, mariée et qui a de grands enfants.
2) Elle vient de découvrir qu'elle a été adoptée quand elle était très petite.
3) Ses frères et sœurs ont tout fait pour la connaître.
4) Elle espère continuer à voir sa nouvelle famille.
5) Elle pense que sa vie va être beaucoup plus difficile à partir de maintenant.

3 Vérifiez vos réponses avec la transcription.

4 Par petits groupes, préparez la lecture à haute voix de ce document : essayez de reproduire le plus exactement possible le rythme, les intonations et la prononciation de la personne qui parle. Ensuite, lisez à haute voix ce texte et comparez votre lecture avec celle des autres groupes.

■ Bonjour chers auditeurs ! Aujourd'hui, dans le cadre de notre émission *Une vie, une histoire*, nous allons écouter l'enregistrement que nous a envoyé madame Juliette Skoudy.

■ Eh bien voilà : Je m'appelle Juliette et j'ai 50 ans. J'ai eu pendant 48 ans une vie tout à fait normale. J'ai grandi dans une famille modeste et unie, j'ai commencé à travailler très jeune et je me suis mariée à 22 ans. Avec mon mari nous avons élevé trois enfants et ils sont peu à peu partis de la maison... Ma fille, la dernière, il y a trois ans.
Quand mes parents sont morts, mon mari et moi, nous avons décidé de nous installer dans leur ancienne maison. Nous nous sentions très seuls. Un jour, par hasard, je mettais de l'ordre et j'ai trouvé, dans une vieille armoire, une fiche d'état civil au nom d'une femme : Huguette Meunier. J'ai pensé à une cousine inconnue et j'ai voulu la connaître. J'ai consulté la mairie, j'ai réuni toutes les informations possibles et peu à peu j'ai su la vérité : d'abord, que j'ai été adoptée (à l'âge de six mois) ; ensuite, que Huguette Meunier était ma vraie mère ; enfin, que je ne suis pas fille unique mais que j'ai cinq frères et sœurs... Quel choc !
Le mois dernier, j'ai rencontré ma vraie famille. C'est facile ! Ils habitent tous à côté de chez nous. Nous nous sommes embrassés, nous avons ri et pleuré et nous avons aussi beaucoup parlé. Je crois qu'une nouvelle vie est en train de commencer pour nous tous, mais je ne regrette rien du passé... Mes parents adoptifs ? Je les ai aimés et je les comprends : il ont eu peur de me perdre. Seulement, je suis très, très heureuse d'avoir une nouvelle famille et j'espère la revoir souvent. Imaginez ! Je suis sur le point d'être grand-tante !

■ Quel beau témoignage, n'est-ce pas, chers auditeurs ? Nous attendons vos nombreuses réactions au 01 46 24 32 45. À bientôt pour un autre témoignage !

Le passé composé

FORMATION

Le passé composé se forme avec un auxiliaire (*être* ou *avoir*) au présent + le participe passé du verbe que l'on conjugue :
Je suis venu voir mes parents.(venir)
J'ai préféré le commerce. (préférer)

À QUOI ÇA SERT ?

À parler de faits, d'événements ou d'actions qui ont eu lieu dans le passé :
Ce matin, je suis arrivé en retard au travail.
Hier, Philippe a décidé de changer de vie.
Nous avons déménagé en 1989.

Quel auxiliaire choisir ?

AVOIR	ÊTRE	
la majorité des verbes *J'ai fait une licence.* *J'ai eu deux enfants.*	**tous les verbes pronominaux** *Je me suis marié très jeune.* *Nous nous sommes embrassés.*	**les 14 verbes suivants*** *naître - mourir - venir - aller - entrer* *sortir - arriver - partir - monter - descendre* *rester - tomber - passer - retourner*

*Attention ! Certains de ces verbes et leurs composés se conjuguent avec *avoir* quand ils ont un C.O.D. : *sortir, monter, descendre, passer, entrer, retourner.*
On dit *Je* ***suis*** *descendu / monté à toute vitesse.* (pas de C.O.D.)
MAIS *J'****ai*** *remonté* ***les escaliers*** *et j'****ai*** *descendu* ***la valise.***

Classement des participes passés selon leur prononciation :

participe passé en [e]	participe passé en [y]	participe passé en [i]	autres cas
être → *été* arriver → *arrivé* + décider, penser, travailler, trouver...	avoir → *eu* (de)venir → *(de)venu* savoir → *su* vouloir → *voulu*	grandir → *grandi* partir → *parti* mettre → *mis* apprendre → *appris*	faire → *fait* mourir → *mort*

Attention à l'accord du participe passé avec être !

Albert Camus est ***né*** *en Algérie, en 1913.*
Françoise Sagan est ***née*** *à Carjac.*
Auguste et Louis Lumière ***sont nés*** *à Besançon.*
Les sœurs Brontë sont ***nées*** *à Thornton.*

Pour les verbes qui se conjuguent avec l'auxiliaire *être,* le sujet et le participe passé s'accordent en genre et en nombre.

1 Lisez les phrases suivantes et retrouvez l'infinitif des verbes donnés, puis classez les participes passés selon leur terminaison.

1) Nous avons écrit des cartes de vœux à toute la famille.
2) Vous avez fini votre travail ?
3) Ils ont beaucoup souffert.
4) Tu as répondu au téléphone ?
5) On a frappé et on a ouvert la porte.
6) Nous vivons à Bristol mais nous avons vécu deux ans à Londres.
7) Elle a reçu le Prix du Jury.
8) Nous avons vu un film à la télé.
9) J'ai connu mon mari à Dijon.
10) Nous avons dû refaire le travail.
11) J'ai mis mon manteau d'hiver.
12) Ils ont pu réparer la voiture.
13) Tu as lu le dernier roman de Saramago ?
14) Il est sorti à 3 heures.
15) On m'a offert un joli cadeau.
16) Il a bu un café très chaud.
17) Elles ont dit la vérité.
18) Nous avons eu un rude hiver.

2 **Mettez les verbes entre parenthèses au passé composé.**

1) Hier, Jacqueline ... (partir) de la maison à 8 h15 et elle ... (rentrer) à 10 h30.
2) Quand mes parents ... (venir) à Paris, ils ... (aller) au musée du Louvre.
3) Les filles ... (se coucher) très tard et ... (se lever) très tôt.
4) Je ... (se tromper) de code postal et la lettre m'... (revenir).

3 **Mettez les verbes entre parenthèses au passé composé.**

1) Ses enfants ... (adorer) le parc d'attractions et ils ... (repartir) contents.
2) Elle ... (se marier) jeune et ... (avoir) beaucoup d'enfants.
3) Nous ... (étudier) ensemble à l'université et nous ... (se marier) après nos études.
4) Elle ... (connaître) sa vraie famille à 50 ans.

4 **Mettez les éléments dans le bon ordre.**

1) cinéma/seule/va/elle/jamais/ne/au/toute
2) rencontrer/il/veut/actuellement/personne/ne
3) pas/avion/vous/les/avez/billets/d'/n' ?
4) aime/personne/n'/Sidonie
5) voyageons/ne/en/nous/jamais/été
6) je/cette/plus/regarder/émission/ne/veux
7) ne/nous/ici/personne/connaissons
8) travaille/il/dans/plus/cette/ne/entreprise
9) il/jamais/parle/ne/de/problèmes/ses
10) les/je/pendant/ne/vacances/rien/fais

La négation (2)

Rappelez-vous :
*Il **ne** s'appelle **pas** Bruno Lemoine, il s'appelle Bruno Legrand.*

sujet + *ne* + verbe + négation
*On **ne** sait **jamais** ! Tu es beau et intelligent...*
*Je **ne** fais **plus** beaucoup de sport.*
*Je **ne** regrette **rien**.*

Attention !
À l'oral, on supprime souvent le premier terme de la négation : *Ils (**n'**)écoutent **jamais** !*

Quand *personne* et *rien* sont sujets, ils se placent en première position et le *ne (n')* se maintient :
***Personne ne** vient avec moi ?* ***Rien ne** l'intéresse.*

être sur le point de... / être en train de... + infinitif

À QUOI ÇA SERT ?

Être sur le point de + infinitif sert à indiquer un futur très proche, une action ou un événement imminents :
*Je suis **sur le point d'**être grand-tante !*

Être en train de + infinitif sert à indiquer une action en cours de réalisation :
*Une nouvelle vie est **en train de** commencer pour nous.*

Attention !
En français, on préfère utiliser le présent plutôt que *être en train de* pour exprimer la continuité d'une action en cours :
– *Qu'est-ce que tu fais en ce moment ? Tu travailles ?*
– *Oui, je révise mon examen de demain.*

L'imparfait

À QUOI ÇA SERT ?

Si le passé composé sert à parler d'actions dans le passé, l'imparfait sert à décrire des états ou des situations dans le passé.

*J'ai su la vérité : Huguette Meunier **était** ma vraie mère.*
(action) (état)
*Un jour, je **mettais** de l'ordre et j'ai trouvé une fiche d'état civil.*
(situation) (action)

*Nous nous **sentions** très seuls.*
(état)

5 **Transformez les phrases suivantes avec *être sur le point de...* ou *être en train de...***

1) Je pars au Brésil.
2) Elle va accoucher d'un instant à l'autre.
3) Éteins la télé. Tu ne vois pas que je travaille ?
4) Ton père est dans le jardin, il arrose les plantes.
5) Ne partez pas ! Il arrive.
6) Tu fais un gâteau ?
7) Elles étudient. Ne faites pas de bruit.
8) Il va être grand-père.
9) Nous prenons l'avion, nous t'appelons dès notre arrivée.
10) Elle prépare les valises.

Le parcours de l'étudiant

1 **Retrouvez l'ordre chronologique des différentes étapes de la vie d'étudiant et présentez-les à l'aide des marqueurs temporels.**

a) être collé / reçu à un examen
b) obtenir un diplôme
c) passer les examens
d) réviser pour les examens
e) s'inscrire à l'université
f) suivre des cours

d'abord ensuite puis / après finalement / enfin

La vie professionnelle

2 **Faites le même exercice en retrouvant les étapes de la vie professionnelle. Certaines options sont facultatives. À vous de choisir.**

a) faire un stage
b) passer un entretien
c) trouver un emploi / obtenir un poste
d) être retraité
e) être licencié / démissionner
f) être au chômage
g) monter son entreprise

3 **Quel a été votre parcours scolaire et professionnel jusqu'à aujourd'hui ?**

4 **Choisissez un membre de votre famille ou de votre entourage. Racontez son parcours scolaire et professionnel.**

[ɛ] / [œ] / [ɔ]

1 **Écoutez les différences : [ɛ] comme dans *anniversaire*, [œ] comme dans *sœur*, [ɔ] comme dans *mort*.**

2 **Écoutez et dites, pour chaque série, si les deux mots sont identiques ou différents.**

a

	[ɛ] / [œ]	
	=	≠
1)		
2)		
3)		
4)		
5)		
6)		
7)		
8)		

b

	[o] / [œ]	
	=	≠
1)		
2)		
3)		
4)		
5)		
6)		
7)		
8)		

c

	[ɔ] / [o]	
	=	≠
1)		
2)		
3)		
4)		
5)		
6)		
7)		
8)		

Les Français et les grands événements de la vie

En France, la coutume veut que l'on envoie, à l'occasion des grands événements de la vie, des faire-part, des invitations et des cartes de vœux à la famille, aux amis et aux personnes de l'entourage. Il est possible également d'annoncer un mariage, un décès ou tout autre événement dans le « carnet mondain » d'un journal.

1 Vivre c'est...

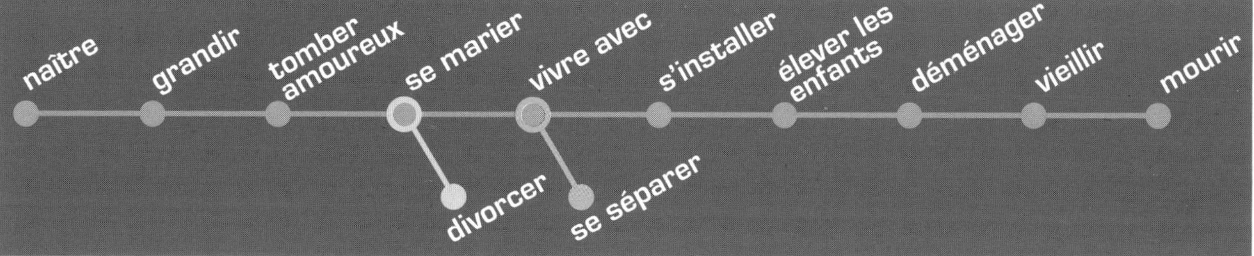

À quelle étape de la vie correspondent ces faire-part, invitations et cartes de vœux ? Lesquels ont un caractère officiel ? Lesquels sont réservés aux parents et amis ?

Sa famille et ses amis ont la douleur d'annoncer le décès de

Jean-Philippe Laborde

survenu le 19 avril 2004 à l'âge de cinquante ans.

Les obsèques auront lieu le lundi 22 avril en l'église Notre-Dame de Boulogne (Hauts-de-Seine)

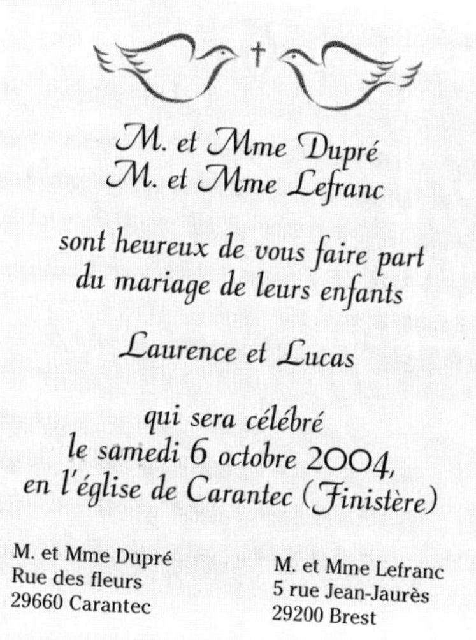

M. et Mme Dupré
M. et Mme Lefranc

sont heureux de vous faire part du mariage de leurs enfants

Laurence et Lucas

qui sera célébré le samedi 6 octobre 2004, en l'église de Carantec (Finistère)

M. et Mme Dupré
Rue des fleurs
29660 Carantec

M. et Mme Lefranc
5 rue Jean-Jaurès
29200 Brest

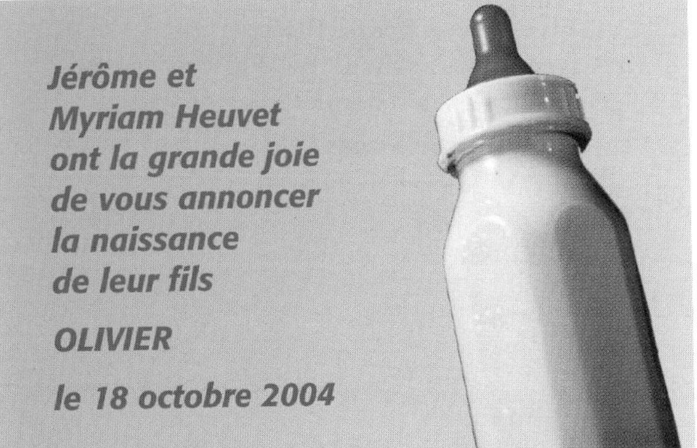

Jérôme et Myriam Heuvet ont la grande joie de vous annoncer la naissance de leur fils

OLIVIER

le 18 octobre 2004

Nous avons trouvé la maison de nos rêves, ça se fête !

Nous vous invitons à pendre la crémaillère le samedi 28 avril à partir de 20 heures.

Laeticia et Sébastien Cistarelli
34 route de la Forêt
Meudon

2 Dans votre pays et dans votre famille, ces traditions existent-elles ? Pour quels événements ? Sous quelle forme ? Peut-on faire preuve d'imagination dans la présentation et à quelle occasion ? Imaginez un faire-part ou rédigez une invitation pour une personne de la classe.

expressions pour...

Retrouvez dans la leçon les expressions pour :

- Demander et donner des informations sur le passé.
- S'excuser et donner une excuse.
- Exprimer la surprise.
- Ordonner un récit, des faits ou des actions.
- Exprimer un sentiment.
- Parler des différentes étapes de la vie.

Parler

1 À l'aéroport.

Par groupes de 2, jouez cette scène.
– Vous allez chercher à l'aéroport un(e) ami(e) qui rentre de voyage (affaires, vacances...).
– Vous arrivez en retard, votre ami(e) vous attend.
– Vous vous excusez et justifiez votre retard.
– Vous lui demandez des détails sur son voyage.
– Vous lui demandez ce qu'il / elle a fait, quand, où...
– Il / Elle vous demande aussi ce qu'il s'est passé pendant son absence.

2 Entretien d'embauche.

Par groupes de 2, jouez cette scène.
Vous avez répondu à une petite annonce de travail et vous avez envoyé votre C.V.
Vous avez rendez-vous pour un entretien. La personne vous pose des questions sur vos études et sur votre expérience professionnelle (date, lieu, type d'études et de travail). Elle vous interroge aussi sur votre situation familiale et sur votre disponibilité.

> Commercial H/F
>
> De la prospection à la négociation, vous jouez un rôle actif dans notre développement au sein d'une équipe.
> **Nous vous apportons** une solide formation, des outils et des méthodes efficaces.
> **Vous avez** 30 ans environ, vous êtes dynamique et débordant d'enthousiasme.
>
> **Venez vous joindre à nous !**
> Envoyer C.V. et lettre de motivation à
> Entreprise BUROU
> 25 quai de l'Isère
> 75025 Paris

3 Quel week-end !

Vous racontez à votre voisin(e) le week-end que vous venez de passer. Vous êtes si enthousiaste que vous ne le / la laissez pas parler.
Vous parlez de vos activités et loisirs.
Situez les moments et les endroits et parlez des gens que vous avez vus et des amis que vous n'avez pas pu rencontrer.

Lire

Biographies

1 Lisez les biographies suivantes.

FAUDEL, LE PRINCE DU RAI

Faudel Bellula est né en 1978 à Mantes-la-Jolie dans la banlieue parisienne, dans le quartier du Val Fourré. D'origine algérienne, il passe ses vacances d'été chez sa grand-mère. C'est elle qui a su lui transmettre l'âme du raï.

À l'âge de 12 ans, il a fondé le groupe *Les Étoiles du raï*. Un an plus tard, la rencontre de Momo, un ancien guitariste professionnel, l'a aidé à développer son propre répertoire. En 1996, il a été sélectionné pour représenter l'Ile-de-France au Festival du Printemps de Bourges. En 1997, « le Petit Prince du Raï » a sorti son premier album *Baïda* (Blanche) qu'il a vendu à 350 000 exemplaires. En février 2001, il est revenu avec *Samra*. La majorité des textes traitent de l'amour, mais l'un d'entre eux, intitulé *Mantes-la-Jolie*, fait référence à la cité où il a grandi.
Faudel est considéré comme la révélation de la nouvelle génération d'artistes raï et symbolise la reconnaissance de cette jeunesse d'origine maghrébine.

CHRISTINE ARRON

Christine Arron est née en 1973 aux Abymes en Guadeloupe. Elle a commencé à fréquenter les pistes d'athlétisme à l'âge de 10 ans. Elle a obtenu de nombreux titres nationaux. C'est en 1992 qu'elle est partie en France pour rejoindre le groupe de Jacques Piasenta, son entraîneur. En 1997, elle a obtenu la médaille de bronze aux 4 x 100 m lors des championnats du monde d'Athènes. L'année suivante, elle s'est confirmée avec deux médailles d'or aux championnats d'Europe à Budapest et le record d'Europe aux 100 m (10''73). Enfin, deux ans après, à Séville, l'équipe française a gagné une médaille d'argent.

CLAIRE BRETÉCHER

Claire Bretécher est née en 1940 à Nantes. Professeur de dessin dans les années 60, elle a illustré une histoire de René Goscinny et a travaillé au journal *Tintin,* puis à *Spirou.* C'est dans le journal *Pilote* qu'elle crée son personnage Cellulite, qui se démarque complètement des autres héroïnes du papier. En effet, dans cette œuvre féministe, elle n'a pas hésité à se moquer des excès du féminisme.
Mais le « phénomène Bretécher » a véritablement commencé avec son entrée dans la grande presse d'information, notamment dans *Le Nouvel Observateur* avec « *les Frustrés* » où, en jouant sur les dialogues et les situations, elle a eu un regard critique et sans pitié sur ses contemporains. Un de ses personnages clés est Agrippine. Claire Bretécher est aussi peintre ; elle a publié un album portrait en 1983.

2 Pour chaque personnalité, répondez aux questions suivantes.

1) Quelle est sa nationalité ?
2) Quelle est sa profession ?
3) À quel âge a-t-il / elle commencé sa carrière professionnelle ?
4) À quelle date est-il / elle devenu(e) célèbre ?
5) Comment est-il / elle devenu(e) célèbre ?

3 Sélectionnez une biographie et retrouvez les quatre moments importants dans la vie du personnage. Utilisez *d'abord, ensuite, puis* et *enfin* pour la raconter à votre voisin(e).

1 Interviewez votre voisin(e) sur sa vie, puis rédigez sa biographie.

Réfléchissons !
Comment avez-vous procédé pour rédiger la biographie ? Et pour rédiger en général ?

- Je me suis inspiré(e) d'un texte modèle.
- J'ai écrit mon texte avec les idées qui me passaient par la tête.
- J'ai fait un plan et j'ai organisé mon texte avant de l'écrire.
- J'ai pensé mon texte en langue maternelle, puis je l'ai traduit.
- J'ai essayé de trouver mes phrases en français avec les moyens linguistiques de mon niveau.
- Quand je n'arrive pas à construire une phrase en français, je change de phrase.
- Je traduis ma phrase, même si je ne connais pas la structure en français.
- J'essaye de varier les mots et expressions que j'utilise.
- J'essaye d'utiliser les mots ou expressions appris dans la leçon.

Commentez avec le groupe-classe les résultats de votre réflexion.

Écouter

L'amour en chansons !

1 Écoutez les trois extraits de chansons suivants.

Siffler sur la colline

Elle m'a dit...
Elle m'a dit d'aller siffler là-haut sur la colline
De l'attendre avec un petit bouquet d'églantine
J'ai cueilli des fleurs et j'ai sifflé tant que j'ai pu
J'ai attendu, attendu, elle n'est jamais venue.

Cœurs brisés

J'ai mis mon cœur
Dans une écharpe de laine
Jeté les fleurs
Des vases de porcelaine
Il va couler bien des jours
Sous le pont de notre amour
Sans que je puisse t'oublier.

J'ai accroché
Des rideaux gris aux fenêtres
Et j'ai brûlé
Nos photos et tes lettres
L'amour est-il si pressé
De toujours vouloir s'en aller
Dites-moi si vous savez
Où s'en vont les cœurs brisés
Quand ils ont fini d'aimer.

Aline

J'avais dessiné sur le sable
Son doux visage qui me souriait
Puis il a plu sur cette plage
Dans cet orage, elle a disparu

Et j'ai crié, crié, Aline, pour
qu'elle revienne
Et j'ai pleuré, pleuré, oh ! J'avais
trop de peine

2 Quelle chanson préférez-vous ?

3 Quelle vision de l'amour donnent ces trois chansons ?

4 Connaissez-vous en français une chanson qui donne une vision différente de l'amour ?

Situation 1 > Bulletins météorologiques

1 Écoutez les bulletins météo, puis associez-les aux cartes suivantes.

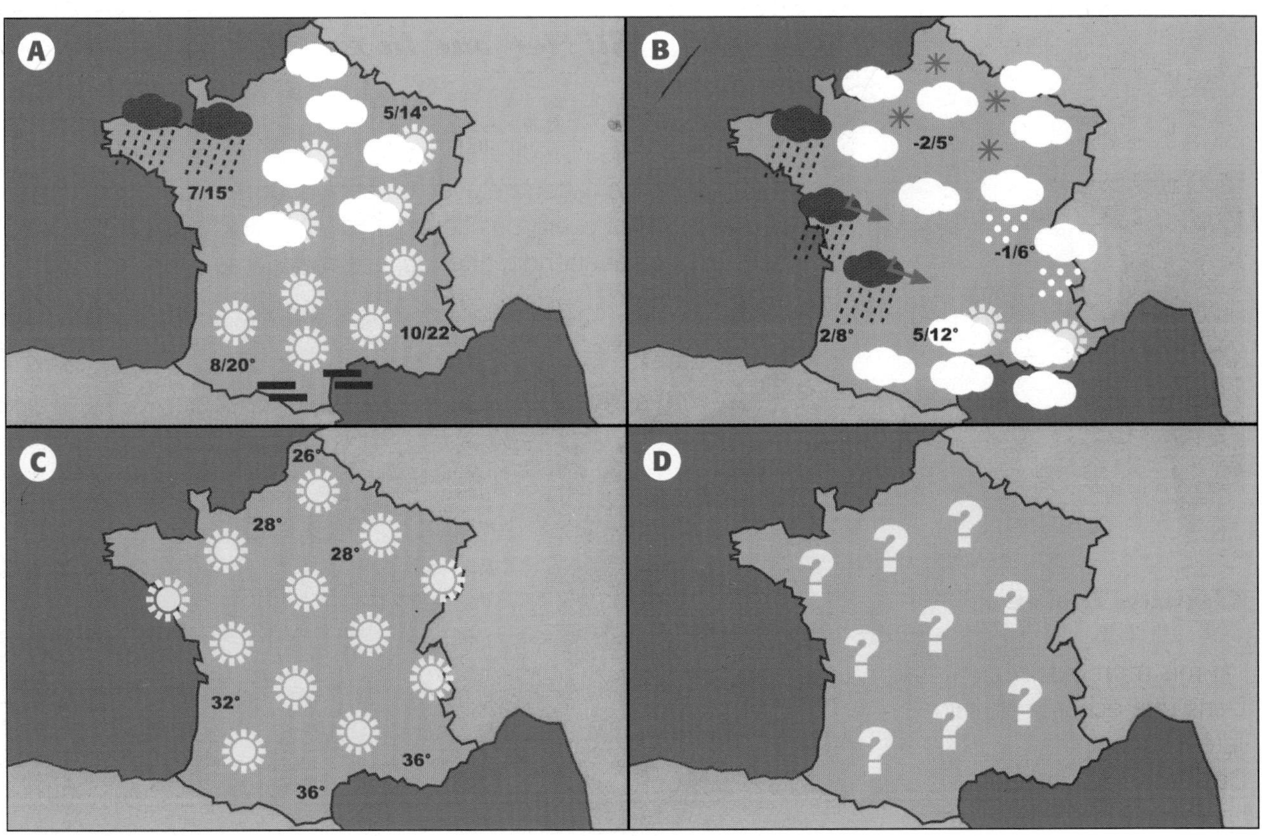

2 À quelles saisons correspondent ces trois bulletins ?

3 Rédigez, par petits groupes, le bulletin météo qui correspond à la 4e saison, puis lisez-le à haute voix.

Bulletin n° 1

Dans le nord et à l'est, le temps aujourd'hui est typiquement hivernal ; il a neigé au-dessus de 1800 m et le verglas est abondant ! Températures en baisse sur toute la moitié nord de la France. Attention aux grippes et aux rhumes, prenez manteaux, gants et écharpes pour sortir ! La pluie et le vent sont au rendez-vous sur la façade ouest. Sur la partie sud, tendance à l'amélioration. Températures en légère hausse dans l'après-midi : 11/12 degrés !

Bulletin n° 2

Le beau temps continue sur toute la France. Du soleil, du soleil, du soleil ! Il ne pleut pas depuis 15 jours ! Hier, les températures ont battu un record : 36° à Marseille et à Perpignan à 17 heures ! Le nord et l'est n'ont pas connu non plus la fraîcheur ! C'est le temps idéal pour prendre son maillot de bain et pour aller à la plage ou à la piscine ! Attention aux coups de soleil et aux insolations !

Bulletin n° 3

La matinée a été généralement bonne sur la partie sud de la France. Les brumes et les brouillards se sont dissipés très tôt et ont laissé la place à un franc soleil. En Bretagne, il a plu sur tout le littoral. Dans le nord, il y a eu encore quelques gelées mais le printemps est là, même si les nuits restent fraîches. Mais attention, souvenez-vous du dicton *En avril, ne te découvre pas d'un fil !* Le temps peut encore changer !

Situation 2 > Débat : pour ou contre la mode actuelle ?

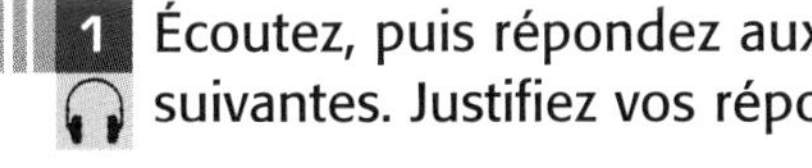

1 Écoutez, puis répondez aux questions suivantes. Justifiez vos réponses.

1) Quelle mode le couturier présente-t-il ? (pour quel public, quelle saison...)
2) Quel mot suscite le débat parmi les participants ?
3) Quelles opinions défendent M. Larthe et Mlle Rannequin pendant le débat ?
4) Croyez-vous que ces deux personnes vont se mettre facilement d'accord ?

2 Réécoutez le débat, puis relevez les formes suivantes.

1) Verbes ou expressions utilisés par chacun pour introduire ses opinions et réfuter celles des autres.
2) Expressions utilisées par la jeune fille pour demander à M. Larthe de répéter quand elle ne comprend pas bien.
3) Onomatopée qui révèle l'émotion et les hésitations de M. Larthe.
4) Formule employée par le modérateur pour arrêter le débat et introduire la publicité ?

3 Vérifiez vos réponses avec la transcription.

- Bonjour chers auditeurs. Avec nous aujourd'hui sur le plateau, trois spécialistes de la mode : M. Bardin, couturier, M. Larthe, professeur et auteur d'un livre sur la mode, et Mlle Rannequin, future dessinatrice de mode. Nous leur donnons immédiatement la parole. D'abord, M. Bardin, quelle est la tendance pour les femmes cet été ?
- Eh bien, les robes et les jupes sont étroites et n'arrivent jamais au genou. Pour la journée, des tee-shirts très collants et des chaussures plates, confortables et de toutes les couleurs ! Pour le soir, de longues tuniques transparentes. La mode est vraiment féminine !
- M. Larthe, êtes-vous d'accord avec M. Bardin ? La mode est-elle féminine ?
- Mais pas du tout ! Je ne suis absolument pas d'accord ! Vous croyez que les chaussures plates mettent la femme en valeur ? À mon avis, euh, euh, c'est une mode sans charme, sans élégance... euh, euh, pas féminine du tout ! Moi, je suis pour les petits tailleurs, les robes, et les chaussures à talons ! Les femmes ont été belles et elles ne le sont plus. Voilà ce que je pense. Il faut leur rendre leur mystère, leur distinction !
- Quoi ? Mais c'est incroyable ! Je me demande si j'ai bien compris ! Pouvez-vous répéter monsieur ? Oui, oui, répétez s'il vous plaît !
- Mais bien sûr, mademoiselle, je répète ! Euh, euh, je dis que les femmes ont su être belles et plaire aux hommes et que maintenant, c'est fini, il n'y a plus d'élégance ! Il n'y a plus de féminité, euh...
- Mais, vous ne comprenez pas du tout la femme d'aujourd'hui ! Il nous faut une mode libre, gaie, jeune ! Euh, comment vous expliquer ? Nous sommes fatiguées des tailleurs et des petites robes féminines ! C'est la même chose pour les hommes... le costume cravate, c'est fini ! Ils nous plaisent, ces hommes en short ou en jeans, et nous leur plaisons comme nous sommes...
- Excusez-moi de vous interrompre, c'est l'heure de la publicité... pendant ce temps, chers auditeurs et auditrices, la question est toujours, *Que pensez-vous de la mode actuelle ?* Prenez la parole, appelez Sandrine au standard et donnez-lui votre avis.

Le passé composé à la forme négative

Observez ces phrases.

*Le nord et l'est **n'**ont **pas** connu la fraîcheur.*
*La neige **n'**est **jamais** tombée dans cette région.*

PLACE DES TERMES DE LA NÉGATION

- Au passé composé, le premier terme de la négation précède l'auxiliaire et le deuxième terme le suit.

Attention ! La négation avec *personne* se place toujours après le participe passé du verbe : *Le froid **n'**a épargné **personne**.*

À l'écrit, la négation comporte deux éléments :
*Elle **n'**a **jamais** retrouvé son parapluie.*

Les deux termes de la négation se placent devant l'infinitif :
*La météo vous conseille de **ne pas** sortir sans manteau.*

Rappelez-vous : À l'oral, on supprime souvent le premier terme de la négation mais jamais le second : *Il (n')a **pas** plu ce matin.*

1 Mettez les phrases suivantes à la forme négative.

1) La nuit a été froide.
2) Il a neigé dans le nord.
3) Le brouillard s'est dissipé.
4) Les brumes ont laissé sortir le soleil.
5) Le verglas a été abondant.
6) La tempête a immobilisé les marins.

2 Mettez les éléments dans le bon ordre.

1) ne / le / montré /s'est / pas / soleil
2) plu / pas / a /aujourd'hui / n' / il
3) ici / n' / jamais / a / il / neigé
4) brouillard / pas / s'est / ne / le / dissipé

Les pronoms compléments d'objet indirect (C.O.I.)

Observez les phrases ci-dessous.

Par quel mot est introduit le nom C.O.I. ? Où se placent les pronoms C.O.I. avec les verbes à l'impératif ?

*Mlle Rannequin demande **à M. Larthe** de répéter.*
➛ *Elle **lui** demande de répéter.*

*Donnez votre avis **à Sandrine.***
➛ *Donnez-**lui** votre avis.*

À QUOI ÇA SERT ?

- À remplacer un nom animé complément d'objet indirect, introduit par la préposition *à* :
  *M. Larthe répond **au modérateur.***
  ➛ *Il **lui** répond.*

  Nous donnons la parole aux invités.
  ➛ *Nous **leur** donnons la parole.*

  Le modérateur parle à une jeune fille.
  ➛ *Il **lui** parle.*

Observez ce tableau.

Comparez-le avec le tableau des C.O.D., page 76.
Quelles sont les formes communes ?

	SINGULIER	PLURIEL
1re pers.	me (m') / moi*	nous
2e pers.	te (t') / toi*	vous
3e pers.	lui	leur

* Avec des verbes à l'impératif affirmatif : *Donnez-**moi** votre avis sur la mode.*

PLACE DU C.O.I.

- À L'IMPÉRATIF
  - affirmatif : *Demande-**lui** de répéter.*
  - négatif : *Ne **lui** demande pas de répéter.*
- AU PASSÉ COMPOSÉ
  - affirmatif : *Elle **lui** a demandé de répéter.*
  - négatif : *Elle ne **lui** a pas demandé de répéter.*

3 Remplacez les compléments d'objet indirect par les pronoms qui conviennent.

1) Soyez sages et obéissez à mamie.
2) Cette fille ne ressemble pas à sa mère.
3) Je souhaite bon voyage à mes amis.
4) Propose à Muriel de venir !
5) Il a conseillé à Pierre d'aller voir un dentiste.
6) Le garçon a promis à son père d'avoir de très bonnes notes.
7) Le film n'a pas plu aux enfants ?
8) Le peintre a montré son plus beau tableau au client.

Le discours indirect

Voici plusieurs répliques entendues au cours du débat :
- Mlle Rannequin : *Vous ne comprenez pas du tout la femme d'aujourd'hui.*
- Modérateur : *M. Larthe, êtes-vous d'accord avec M. Bardin ?*
- Modérateur : *Chers auditeurs et auditrices, que pensez-vous de la mode actuelle ? Prenez la parole, appelez Sandrine notre standard et donnez-lui **votre** avis !*

Voici ces mêmes phrases rapportées par une autre personne :
- *Mlle Rannequin pense que M. Larthe ne comprend pas du tout la femme d'aujourd'hui.*
- *Le modérateur veut savoir si M. Larthe est d'accord avec M. Bardin.*
- *Le modérateur demande aux auditeurs et auditrices ce qu'ils pensent de la mode actuelle. Il leur dit aussi de prendre la parole, d'appeler Sandrine et de lui donner **leur** avis.*

Attention ! aux transformations des pronoms personnels et des adjectifs possessifs (vous ➛ il(s)/elle(s) ; votre ➛ leur, etc.)

Observez les deux séries de phrases.

Quelles différences constatez-vous entre les deux séries ?
Relevez dans les phrases de la 2e série les verbes qui permettent d'introduire les paroles rapportées.

RAPPORTER UN ORDRE, UN CONSEIL, UNE SUGGESTION, UNE PROMESSE

- verbe introducteur + *de* + infinitif :
  *Il leur **demande / dit de** téléphoner.*
  *On **m'a conseillé d'**attendre.*
  *Il leur **suggère de** s'exprimer.*
  *Je te **promets de** ne pas me vexer.*

RAPPORTER UNE QUESTION

- *demander + si / ce que :*
  *Elle **demande s'**il aime la mode actuelle. / **ce qu'**il aime dans la mode actuelle.*
- *demander + mot interrogatif :*
  ***Il demande quand / pourquoi / comment / avec qui...** ils sont venus.*

4 Maintenant, associez les deux colonnes.

Discours direct

1) Phrases déclaratives
2) Phrases interrogatives avec *qu'est-ce que...*
3) Phrases interrogatives
4) Phrases impératives

Discours indirect

a) Il / Elle demande ce que...
b) Il / Elle demande si...
c) Il / Elle demande de...
d) Il / Elle dit que...

5 Transformez ces phrases au discours indirect.

1) Raphaël conseille à sa sœur : « Tu devrais porter des jupes plus souvent. »
2) L'animateur demande aux invités : « Vous aimez la mode actuelle ? »
3) L'animateur demande à Sandrine : « Vous avez combien de réponses ? »
4) Marie-Christine dit à son amie : « Prévois des vêtements bien chauds pour tes vacances dans les Alpes. »
5) Mlle Rannequin dit à M. Larthe : « Cessez de revendiquer les petits tailleurs ! »
6) M. Larthe demande : « Qu'est-ce que vous voulez dire ? »
7) Le présentateur conseille aux spectateurs : « En période de canicule, n'oubliez pas de boire beaucoup d'eau ! »
8) Mme Martin dit à son mari : « Prends ton parapluie, il va pleuvoir. »

6 Rapportez ce dialogue.

–Ma chérie, j'ai vu une jolie robe dans une boutique. Pour le mariage de ta cousine, elle convient très bien. Tu veux aller la voir ?
–Comment elle est ?
–Longue, bleue, un peu transparente, très mode !
–Tu sais bien maman que je ne suis pas la mode, je n'aime pas m'habiller comme tout le monde !
–Oh là là ! Ne te vexe pas. C'était seulement une suggestion.

Le temps qu'il fait

L'hiver à Anvers

L'automne à Lisbonne

Le printemps à Gand

L'été à Saint-Tropez

- Il fait froid / frais / bon / doux / chaud...
- Il y a du vent / des nuages / du brouillard / du soleil / du verglas / de l'orage
- Il pleut / Il gèle / Il neige...
- Il fait moins 2 (-2°), 15 degrés (15°)...
- Le soleil brille, le ciel est bleu...

1 Observez les illustrations ci-dessus. Quel temps fait-il dans chaque ville ? Imaginez quelle est la température.

2 Quel temps fait-il chez vous aujourd'hui ?

3 Observez les vêtements ci-dessous. Décrivez comment est habillé chaque personnage.

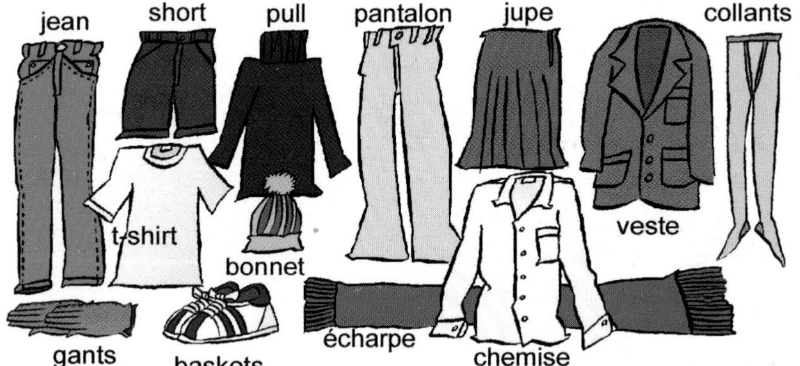

Pour faire des compliments.
Elle te va très bien, cette robe / couleur / chemise...
Il est beau, ce pull !
J'aime bien ton foulard.

4 Faites un compliment à votre voisin(e).

LP [b] / [v] / [f]

1 Écoutez les différences : [b] comme dans *beau*, [v] comme dans *vent*, [f] comme dans *froid*.

2 Écoutez et dites si les mots prononcés sont identiques ou différents.

a	=	≠
1)		
2)		
3)		
4)		

b	=	≠
1)		
2)		
3)		
4)		

c	=	≠
1)		
2)		
3)		
4)		

3 Maintenant, écoutez et répétez.

Petite histoire de France en images

Le tonneau : inventé par les Celtes et perfectionné par les Gaulois ; Son nom actuel date du XIIIe siècle. Il est toujours utilisé !

Le coq gaulois : symbole de la combativité et de l'activité sexuelle, on l'utilise pour représenter la France dans les écrits officiels à partir de 1665. C'est la monarchie absolue ; le règne de Louis XIV commence !

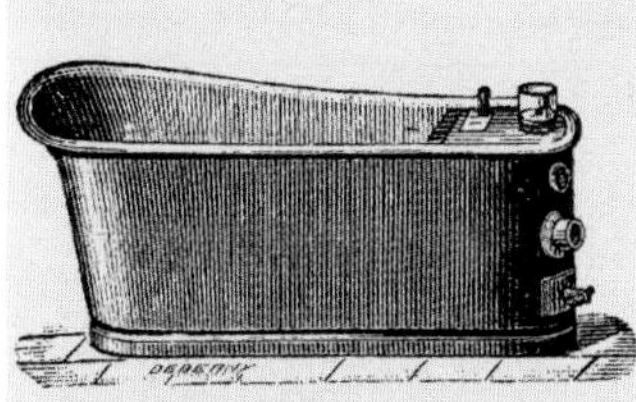

La baignoire : Francois Ier dessine et décore, lui-même, au début du XVIe siècle, les baignoires du château d'Amboise (l'un des châteaux de la Loire). C'est la Renaissance en France et le commencement de la construction d'un état moderne et centralisé !

La montgolfière : 1783. Les frères Montgolfière viennent de lui donner le jour. Louis XVI et Marie Antoinette observent avec stupéfaction son départ dans le ciel... Quelques années après, ils vont monter sur la guillotine.

Le maillot jaune : le Tour de France existe depuis 1903... Le maillot, adopté en 1919, permet de reconnaître plus facilement le leader dans le peloton qui l'accompagne. C'est la « belle époque »...

La baguette : la Révolution est là! La Convention décide, le 26 brumaire de l'an II (15 nov. 1793 dans le calendrier révolutionnaire), que tous les citoyens doivent manger le même pain. Ce pain est la baguette !

La légion d'honneur : Bonaparte la crée en 1802 pour récompenser les Français des mérites civils. En 1804, devenu Napoléon Bonaparte, il remet pour la première fois cette croix tenue par un ruban rouge. Les femmes tarderont très longtemps à la recevoir !

La carte nationale d'identité : pendant la deuxième guerre mondiale, en 1940, le gouvernement de Vichy l'implante pour connaître immédiatement l'identité des Français...

1 Que saviez-vous et qu'avez-vous découvert à la lecture de ce texte ? Quel objet vous semble le plus typiquement français ?

2 Quels autres objets ou monuments représentent pour vous la France et son histoire ? Que savez-vous d'eux ?

3 Quels objets symbolisent pour vous l'histoire de votre pays ?

expressions pour...

Retrouvez dans la leçon les expressions pour :

- Parler du climat et des températures.
- Faire des recommandations.
- Faire une critique.
- Exprimer une opinion.
- Manifester son accord et son désaccord.
- Donner une appréciation positive.

Parler

1 Week-end à la montagne.

Par groupes de 2, jouez la scène.
Vous êtes invité(e) à passer le week-end à la montagne chez un(e) ami(e). Vous lui téléphonez pour savoir le temps qu'il fait et qu'il va faire. Il / Elle vous répond. Vous lui expliquez quels vêtements vous pensez prendre.
Il / Elle vous donne son opinion et vous fait une recommandation.

Corinne et Antoine

sont heureux de vous annoncer leur mariage.

La cérémonie aura lieu le samedi 14 novembre à la mairie et en l'église de Villefranque à partir de 16 h.

Elle sera suivie sur place d'un apéritif et d'un dîner.

2 Le mariage.

Par groupes de 2, jouez la scène.
Un(e) ami(e) est invité(e) à un mariage au mois de novembre et il / elle vous demande votre avis sur le choix des vêtements pour la cérémonie.
Vous lui donnez votre opinion.
Il / Elle hésite, fait une critique (couleur, forme, style, etc.).
Vous répondez à son argument.
Il / Elle se décide.

3 Débat.

Vous allez organiser un débat par groupes de 4 sur l'un des thèmes proposés ci-dessous.
1) Que pensez-vous des jeunes qui vivent encore chez leurs parents à 30 ans ou plus ?
2) Êtes-vous pour les voyages organisés ?
3) Préférez-vous vivre dans le centre-ville ou en banlieue ?

Conseils : l'un de vous joue le rôle du modérateur. Définissez aussi le rôle et la position des 3 autres participants. Revoyez le vocabulaire à utiliser.

4 Micro-débats

a) **Pour ou contre la pause en cours de français ?**
Écoutez, puis relevez les expressions qui présentent une opinion et qui expriment l'accord et le désaccord.

b) **Pour ou contre le tabac ?**
Écoutez, puis relevez les expressions utilisées pour :
- énumérer des arguments.
- prendre le temps de trouver ses mots.
- demander de répéter.
- interrompre quelqu'un et intervenir.

Réfléchissons !
Quelles sont, parmi les tâches suivantes, celles qui correspondent à la phase de préparation d'un débat et celles qui correspondent à la phase d'exécution ?

- Se lancer dans la conversation en prenant ou en demandant la parole.
- Chercher les verbes ou expressions qui servent à contredire ou approuver quelqu'un.
- Chercher une idée à exposer et à défendre en rapport avec le thème du débat.
- Chercher les expressions pour demander à quelqu'un de répéter ce qu'il a dit.
- Chercher le lexique qui correspond au thème du débat.
- Utiliser des *euh, euh*, des *eh bien*... pour prendre le temps de réfléchir quand on ne trouve pas ses mots.
- Chercher des arguments pour défendre son idée.
- Demander de répéter quand on ne comprend pas une formulation.
- Utiliser *d'abord, ensuite, après, enfin* pour introduire les points de son intervention.
- Chercher les verbes ou expressions qui servent à introduire ses opinions.
- Chercher les expressions pour interrompre quelqu'un et prendre la parole.
- Utiliser la voix et les gestes pour faire comprendre ce qu'on veut faire expliquer.

Commentez avec votre voisin(e) les résultats de votre réflexion, puis commentez-les avec le groupe-classe.

5 Organisez un nouveau débat en respectant les consignes que vous venez de commenter.

Pour vous donner des idées, voici quelques propositions de thèmes à débattre :
– Que pensez-vous de la mode actuelle ?
– Les prévisions météorologiques modifient-elles vos activités de loisirs et les choix de destinations de vos vacances ?
– Vivre en ville ou à la campagne ?
– L'égalité devant les tâches ménagères existe-t-elle à l'intérieur d'un couple ou d'une famille ?
– L'organisation des villes permet-elle de « bien y vivre » ?

Mais peut-être avez-vous envie de proposer d'autres thèmes ?

Lire

Mon père m'a dit :
« Où tu as couché cette nuit ? »
J'ai dit :
« Chez un copain, tu connais pas. »
Il m'a dit :
« C'est pas parce que je connais pas que tu ne peux pas me donner son nom. Il a des parents, ce copain ? Ils étaient là, ses parents ? »
J'ai dit :
« Mais oui ils étaient là, ne t'inquiète pas papa, c'était juste à côté d'ici, j'ai seulement couché chez eux, c'est rien. »
Alors il m'a dit :
« Bon eh bien va te nettoyer et t'habiller normalement parce que j'ai à te parler sérieusement. Va dans ta chambre, tu reviendras quand tu auras l'air normale. Je parle pas à des carnavaleuses moi. »
J'ai dit :
« C'est quoi, avoir l'air normal, papa ? »
Il m'a dit :
« Fais pas la mariolle et va te changer et reviens tout de suite. »
Je suis repartie dans ma chambre et comme je suis aussi intelligente que lui (même plus, parfois, à mon avis), j'ai compris qu'il me demandait de partir parce qu'il n'osait pas me parler d'autre chose et qu'il cherchait à gagner du temps. Alors pour une fois j'ai été très rapide, je me suis démaquillée très vite, j'ai enlevé le bonnet, le peignoir et les boots, je me suis habillée comme tous les jours et je suis revenue très vite exprès pour pas qu'il reparte ou qu'il change d'idée. Il a eu l'air surpris de me revoir aussitôt. Il a dit :
« Tu as été vite. »
J'ai dit :
« Oui. »
Il n'a rien dit. Mon père a des gros sourcils tout noirs au-dessus de ses yeux bleus et il passe son temps à les tirer avec les doigts et enlever les poils les uns après les autres et il les laisse tomber devant lui sur le blanc de la toile cirée de la table de la cuisine et on dirait qu'il veut les compter. C'est absolument affreux comme impression.
Je lui ai dit :
« S'il te plaît papa, fais pas ça. »
Il m'a dit :
« Fais pas quoi ?
-S'il te plaît, te tire pas sur les sourcils, après t'en auras plus et on croira que t'as une maladie de peau énormément dramatique et tu seras comme les albinos. »
Il a souri et il a voulu m'embrasser mais comme on a perdu l'habitude de s'embrasser dans ma famille, il m'a tirée trop fort par les épaules vers lui et j'ai fait un faux mouvement sur ma chaise, alors je me suis retirée et il a eu l'air gêné.

Stéphanie, *Des cornichons au chocolat,* pages 64 et 65 © Editions Jean-Claude Lattès, 1983

1 Carnavaleuse : personne habillée comme pour un carnaval.

1 Lisez le texte, puis dites si les phrases suivantes sont vraies ou fausses.

1) Stéphanie n'a pas dormi chez elle.
2) Son père est content qu'elle lui donne des explications.
3) Stéphanie s'est habillée pour le carnaval.
4) Son père apprécie la manière de s'habiller de Stéphanie.
5) D'habitude, Stéphanie est lente pour s'habiller.
6) Son père ne veut pas parler immédiatement avec elle.
7) Stéphanie se change rapidement pour continuer la conversation.
8) Le père de Stéphanie a une manie désagréable.
9) Il a un geste d'irritation à la fin.
10) Le père et la fille ont de très bonnes relations.

2 **Retrouvez dans le texte les expressions familières équivalentes.**

1) Se laver, faire sa toilette.
2) Quelqu'un qui veut se montrer malin, intéressant.
3) Vraiment très grave.

Quelles autres marques de langue orale trouvez-vous dans le texte ?

3 **Lisez la lettre suivante.**

Cambridge, le 16 juillet

Chers parents,

Je viens de m'installer dans la maison de ma famille d'accueil en Angleterre. Ils sont très sympa : ils m'ont accompagnée à l'université où je vais suivre les cours. Ils m'ont montré les installations sportives : un court de tennis et de squash, et une piscine.
J'ai loué une bicyclette pour mes déplacements. C'est curieux. Je n'ai pas eu de difficulté avec la circulation. C'est un peu bizarre au départ mais après on s'y habitue. Le seul problème c'est pour tourner à droite parce qu'il faut faire très attention aux autres voitures.
Il y a deux autres étudiantes dans la même maison. Une est japonaise, elle s'appelle Atsko (je ne suis pas sûre de l'orthographe) et l'autre Karen, une Islandaise. Elles ne parlent pas français du tout, donc je dois parler anglais tout le temps. C'est très bien pour moi !
Le temps est très variable ici. On m'a conseillé de toujours prendre un imperméable sur moi. Hier, quand je suis arrivée, il y avait du soleil, mais vers midi il a commencé à pleuvoir. Juste un peu, mais j'ai dû ouvrir mon parapluie. Ensuite, l'après-midi, il a fait un peu froid, j'ai dû mettre mon pull.
Je ne vais pas pouvoir mettre mon maillot de bain, peut-être à la piscine de l'université.
Je dois finir : on va dîner, à 18 h ! C'est ça l'Angleterre !
Écrivez-moi vite. J'attends des nouvelles de toute la famille.
Je vous embrasse très affectueusement.

Sonia

Écrire

Deux semaines après, Sonia écrit à nouveau à ses parents. Écrivez la lettre avec les contenus suivants.

- Elle fait référence à une lettre qu'elle a reçue quelques jours avant.
- Elle donne des détails sur les cours d'anglais, les copains de classe et ses relations avec les autres étudiantes qui habitent dans la maison.
- Elle demande des nouvelles des gens qu'elle connaît (famille, amis, voisins...).
- Elle parle du temps qu'il fait.

U4 BILAN LANGUE

GRAMMAIRE

1 Choisissez la bonne réponse.

1) Dis ... que ce n'est pas vrai !
a) je b) me c) moi

2) Tu sais quoi ? Je suis ... de me marier.
a) avant b) en train c) sur le point

3) Elle ne suit pas en classe. Elle est toujours ... de bavarder.
a) sur le point b) en train de c) après

4) Paul ... parti en voyage, il rentre demain.
a) va b) a c) est

5) Tu ... monté à pied ou par l'ascenseur ?
a) as b) es c) te

6) Nous ... sorti la voiture du garage.
a) allons b) sommes c) avons

7) Comme d'habitude, ils sont ... en retard.
a) arrivées b) arrivé c) arrivés

8) Sophie ne travaille ... dans cette école.
a) pas b) rien c) ---

9) Le samedi soir, je ne rentre ... avant minuit.
a) rien b) jamais c) personne

10) Ce matin, je ... entendu le réveil.
a) pas b) n'ai pas c) ne pas

11) Je n'ai ... revu l'ex-ami de Christine.
a) personne b) rien c) jamais

12) Je ... ai téléphoné ce matin.
a) lui b) l' c) la

13) Si tu ne le connais pas, ne ... parle pas !
a) le b) lui c) la

14) Les enfants font du bruit ! Dis-leur ... se taire.
a) si b) qu'ils c) de

15) Il veut savoir ... que je fais comme travail.
a) ce b) qu'est-ce c) le

LEXIQUE

2 Complétez ce texte.

Anabelle Février raconte :
Je suis ... (1) à la Martinique en 1973 et j'ai passé mon ... (2) dans cette île mais je voulais être pédiatre, alors je suis venue à Paris à l'âge de 18 ans. Quel changement !

À la Martinique, la moyenne annuelle des ... (3) est de 24 degrés, il fait toujours ... (4), alors au début, j'ai eu du mal à m'habituer au climat parisien et j'ai dû m'acheter des vêtements chauds pour l' ... (5) : un ... (6), des ... (7) et une ... (8) en laine.

La première fois que j'ai vu la ... (9), j'avais 20 ans : c'était dans les Alpes. C'est beau, la montagne, mais je ... (10) que je préfère la mer et la plage.

À Paris, j'ai d'abord eu une chambre dans une résidence universitaire et puis j'ai rencontré Thibaut, mon mari, chez des amis, le jour de la fête de la musique. On a commencé à sortir et puis on a décidé de vivre ensemble et nous nous ... (11) dans un petit studio.

J'ai fini mes ... (12) de médecine en 1999. Ensuite, j'ai fait un ... (13) dans un hôpital, dans le service de pédiatrie, et j'ai obtenu un ... (14) dans ce service.

On a de la chance car on vient de trouver un appartement à louer près de mon travail et on ... (15) la semaine prochaine.

PRONONCIATION

3 Écoutez. Vous allez entendre des phrases groupées deux par deux. Dites quelle phrase est prononcée la première.

1) a) C'est une serre. b) C'est une sœur.
2) a) Claude est naïf. b) Claude est naïve.
3) a) Il en a une peur bleue.
b) Il en a une paire bleue.
4) a) Il a mal au cœur. b) Il a mal au corps.
5) a) Il bat la campagne. b) Il va à la campagne.
6) a) L'enfant ne boit pas.
b) L'enfant ne voit pas.
7) a) Le pont de la vallée.
b) Le fond de la vallée.
8) a) Ne t'assois pas sur le bord.
b) Ne t'assois pas sur le beurre.

U4 BILAN COMMUNICATION : PORTFOLIO, PAGE 13

PROJET

2 Présentations

OBJECTIFS

Vous allez préparer une cassette pour vous présenter à un éventuel correspondant français de la région de votre choix.

DOCUMENTATION

1 Quelle région choisissons-nous ? Pourquoi ?

Par groupes, découvrez les informations des deux pages suivantes sur quelques régions françaises. Vous pouvez compléter ces informations en consultant, par exemple, les sites Internet proposés. Sélectionnez la région qui vous intéresse le plus et, par groupes de 4 ou 5, commentez vos préférences.

2 Demande de renseignements.

Une fois que vous avez choisi votre région préférée, en groupe ou individuellement, rédigez un fax ou un mél au bureau de tourisme de la région pour demander des prospectus et de la documentation. Vous pouvez vous inspirer de l'exemple suivant.

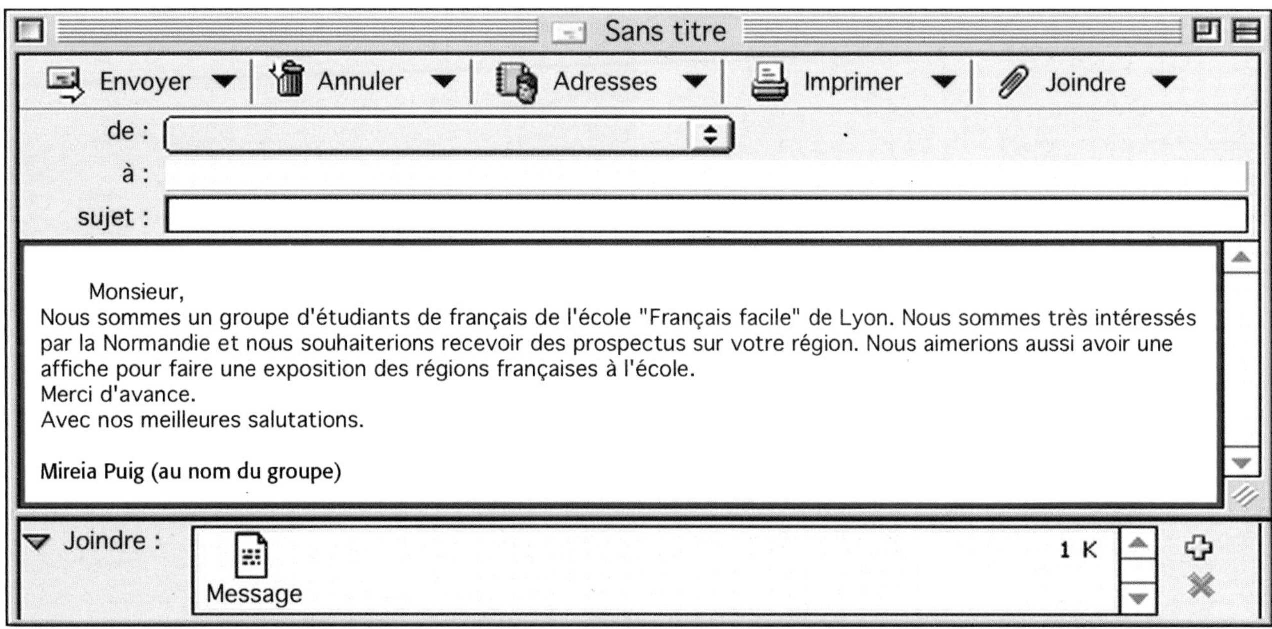
Sans titre

Envoyer | Annuler | Adresses | Imprimer | Joindre

de :

à :

sujet :

Monsieur,
Nous sommes un groupe d'étudiants de français de l'école "Français facile" de Lyon. Nous sommes très intéressés par la Normandie et nous souhaiterions recevoir des prospectus sur votre région. Nous aimerions aussi avoir une affiche pour faire une exposition des régions françaises à l'école.
Merci d'avance.
Avec nos meilleures salutations.

Mireia Puig (au nom du groupe)

Joindre : Message 1 K

Région : Aquitaine
Ville principale : Bordeaux
Population : 2 908 359 habitants
Climat : doux, tempéré
Ressources : diversité agricole ; vins de Bordeaux ; ostréiculture ; industrie pharmaceutique ; tourisme balnéaire, vert et culturel ; activités aéronautiques
Fêtes et traditions : fête du vin, festival de théâtre de Sarlat, fêtes de Bayonne, festival de salsa de Vic-Fesansac, festival de jazz de Marciac
Gastronomie : foie gras, confit de canard
Particularité : langue basque
Pour en savoir plus : www.aquitaine.fr

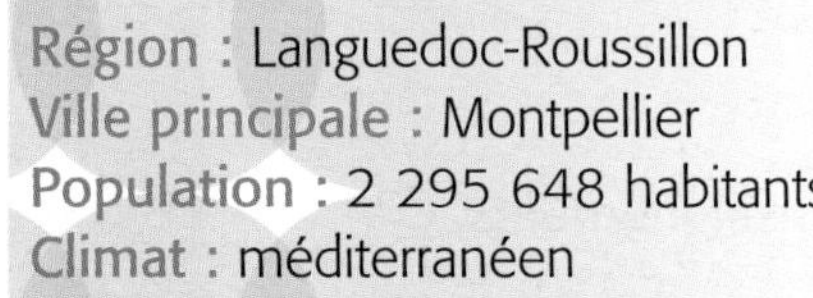

Région : Languedoc-Roussillon
Ville principale : Montpellier
Population : 2 295 648 habitants
Climat : méditerranéen
Ressources : vin, fruits, légumes, pêche ; enseignement supérieur ; tourisme balnéaire, rural et de montagne ; bon réseau de transports
Fêtes et traditions : la Féria de Nîmes, les Médiévales (Foix), festival de Sète, carnaval de Limoux, festival international de sardane
Gastronomie : cassoulet
Particularités : langue catalane et occitane
Pour en savoir plus: www.cr-languedoc-roussillon.fr

Région : Bretagne
Ville principale : Brest
Population : 2 906 197 habitants
Climat : atlantique
Ressources : pêche côtière (sardines, crustacés) ; tourisme balnéaire et culturel (Saint-Malo, Carnac)
Fêtes et traditions : musique celte, festival interceltique (Lorient et Quimper)
Gastronomie : crêpes
Particularité : langue bretonne, persistance des traditions
Pour en savoir plus : www.bretagne.com

Région : Centre
Ville principale : Orléans
Population : 2 440 329 habitants
Climat : relativement clément et peu de précipitations
Ressources : agriculture : céréales, vin ; industrie pharmaceutique ; industries d'armement, textiles ; infrastructures de transports très efficaces ; tourisme culturel : cathédrales, châteaux de la Loire
Fêtes et traditions : festival de musique « Le Printemps de Bourges »
Pour en savoir plus : www.val-de-france.com

Région : Auvergne
Ville principale : Clermont-Ferrand
Population : 1 308 878 habitants
Climat : continental, influence atlantique
Ressources : élevage bovin et porcin ; polyculture ; industries agroalimentaires ; industrie du caoutchouc (entreprise Michelin) ; thermalisme, tourisme vert, ski ; université spécialisée en biotechnologies
Gastronomie : fromages : bleu d'auvergne, cantal
Pour en savoir plus : www.cr-auvergne.fr

Région : Provence-Alpes-Côte d'Azur
Ville principale : Marseille
Population : 4 506 151 habitants
Climat : le littoral : influence méditerranéenne ; les régions de montagne : températures fraîches
Ressources : vin ; fleurs et plantes pour la fabrication de parfums ; fabrication de satellites ; tourisme ; armée ; enseignement supérieur et recherche
Fêtes et traditions : festival de Cannes, festival de théâtre et danse d'Avignon, carnaval de Nice
Gastronomie : bouillabaisse
Pour en savoir plus : www.caids.net/paca-genweb

PRÉPARATION

3 **Vous allez écouter quatre personnes vivant en France se présenter : QUI SONT-ELLES ?**

Notez pour chaque présentation le prénom de la personne et les informations qu'elle donne sur elle-même : état civil, physique, âge, profession, goûts, caractère...
Vérifiez vos réponses avec la transcription du document en fin d'ouvrage.

4 **ET MOI, QUI SUIS-JE ? Pensez à ce que vous désirez dire pour vous présenter et pour expliquer où vous aimeriez aller.**

Préparez votre présentation en fonction de ce que vous savez dire.

Avez-vous besoin d'aide ? Si oui, où pensez-vous la trouver (livre, cahier, dictionnaire, professeur, autres apprenants...) ?

RÉALISATION

5 **Nous nous présentons sur cassette.**

Pour cette étape, vous pouvez travailler individuellement ou par petits groupes. Chaque étudiant(e) va répéter et apprendre son texte comme une acteur / trice (prononciation, intonation, pauses...).
Vous êtes prêt(e)s ? Oui, alors ... ACTION ! Enregistrez-vous !

ÉVALUATION

6 **Que pensez-vous de vos présentations ?**

Utilisez les critères d'évaluation de l'expression orale donnés dans la leçon 4.

Vous voulez réellement trouver un(e) correspondant(e) francophone ?

ALORS, DEMANDEZ CONSEIL À VOTRE PROFESSEUR !

UNITÉ

5 Achats

OBJECTIFS

- Communiquer de façon simple dans des échanges commerciaux.
- Demander et donner des informations sur des objets : taille, forme, prix...
- Demander, choisir et acheter un produit.
- Comparer et apprécier des produits.
- Comprendre et écrire de courts textes informatifs.
- Découvrir des éléments de la vie des Français : gastronomie et mode de vie.
- Réfléchir à des stratégies d'utilisation d'un dictionnaire de français pour débutants.
- Utiliser des stratégies d'improvisation.

L9 LEÇON 9

COMMUNICATION
- Dialogue formel (relations marchandes -1)
- Registre standard
- Goûts, préférences, conseils, choix
- Test et enquête

GRAMMAIRE
- Quantité précise et imprécise
- Partitifs
- Adverbes de quantité
- Pronom complément d'objet *en*

LEXIQUE
- Alimentation
- Restaurant

PRONONCIATION
- Opposition sourde / sonore [ʃ] / [ʒ]

CIVILISATION
- Pour boire et manger en France

L10 LEÇON 10

COMMUNICATION
- Dialogue formel (relations marchandes -2)
- Registre standard
- Comparaison, appréciation
- Commentaires (état de santé)
- Texte informatif

GRAMMAIRE
- Comparaison
- Pronoms adverbiaux de lieu *en* et *y*

LEXIQUE
- Achats divers (habillement, santé, argent, courrier)

PRONONCIATION
- Opposition [s] / [z]

CIVILISATION
- Quelques curiosités bien françaises

Situation 1 > Les courses du mercredi

- Tu as la liste des courses, Salomé ?
- Oui. Tu as vu le monde qu'il y a au rayon fromages, ce matin !
- Oh là ! là ! oui, qu'est-ce qu'on doit prendre ?
- Un camembert et un quart de brie.
- Écoute, tu fais la queue ici et moi, je m'occupe des fruits et légumes.
- Ça y est ! Oh, tu as pris un ananas !
- Oui, il est en réclame ! Il a l'air beau ! Bon, le reste maintenant.
- Il faut du jambon pour les sandwichs de Ludovic ; il part en excursion avec sa classe demain.
- Ah oui, c'est vrai, et un peu de pâté de campagne et un morceau de lard fumé pour ma quiche de ce soir.
- Je vais chercher les yaourts, un pot de crème fraîche et du lait, j'en prends combien ?
- Prends-en six litres, non, huit. Pour demain soir, on achète un poulet ?
- Oh ! pourquoi pas une pizza ?
- Toi et tes pizzas ! Bon d'accord pour la pizza. Va la chercher.
- Regarde ces collants, ils sont super !
- En effet, mais tu les paies avec ton argent de poche !
- Oh, mais ils ne sont pas très chers !
- Justement ! Je crois qu'on a tout, tu vois autre chose ?
- Non, attends, ah si, de la moutarde, il n'y en a plus.
- Bonjour, vous payez comment ?
- Par chèque.
- Ça fait 67 euros 25 centimes. Ne le remplissez pas. Vous avez votre carte de fidélité ?
- Oui, voilà.
- Merci, tenez. Au revoir, bonne journée.
- Merci, vous aussi.

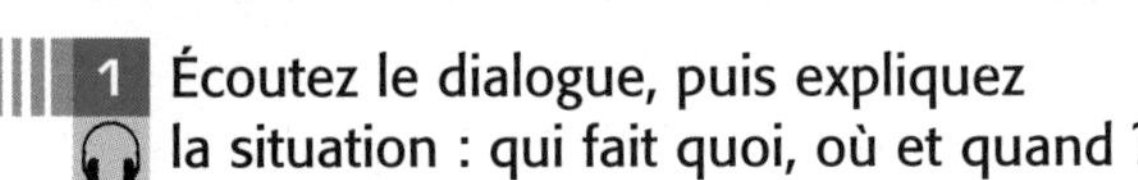

1 Écoutez le dialogue, puis expliquez la situation : qui fait quoi, où et quand ?

2 Réécoutez. Dites si c'est vrai ou faux et justifiez vos réponses.

1) Quand elles arrivent au supermarché, les deux personnes n'ont pas encore décidé ce qu'elles vont acheter.
2) Elles se séparent parce qu'il faut attendre longtemps au rayon fruits et légumes.
3) La mère achète des produits qui ne sont pas sur la liste.
4) L'école de Ludovic a organisé une sortie.
5) Salomé préfère la pizza mais sa mère refuse d'en acheter une.
6) La mère pense que Salomé doit payer les collants.
7) La mère a l'habitude de faire les courses dans ce magasin.
8) Le magasin accepte plusieurs types de paiement.

Situation 2 > Après les courses, déjeuner au " Temps des cerises "

1 Écoutez, puis répondez aux questions.

1) Pourquoi est-ce que la mère choisit ce restaurant ?
2) Où s'installent-elles ?
3) Que prennent-elles comme plats ? et comme boisson ?
4) Quel est le plat du jour ?
5) Que veut savoir le garçon au moment de l'addition ?
6) Que répond la mère ?

2 Rappelez-vous. À quelle question répondent ces personnages ? Et à qui ?

1) Mère : *On va prendre deux menus.*
2) Salomé : *Un steak-frites, à point s'il vous plaît.*
3) Garçon : *La dorade à la provençale, servie avec du riz de Camargue.*
4) Mère : *Une carafe d'eau.*

3 Réécoutez l'enregistrement pour vérifier vos réponses.

4 Qu'en pensez-vous ? Justifiez vos réponses.
Le restaurant propose...

1) des plats exotiques.
2) des plats de tous les jours.
3) une cuisine très raffinée.

■ Il a l'air bien, ce resto !
■ Oui, tu vas voir, c'est Daniel qui me l'a conseillé.
■ Mesdames, c'est pour déjeuner ? Je vous place dans l'espace non fumeurs ?
■ Oui, si c'est possible.

■ Vous avez choisi ?
■ On va prendre deux menus.
■ Bien, je vous écoute.
■ Alors, comme entrée, une salade aux lardons et une assiette de charcuterie.
■ Et après ça ?
■ Un steak-frites, à point s'il vous plaît.
■ Moi, j'hésite, c'est quoi, votre plat du jour ?
■ La dorade à la provençale, servie avec du riz de Camargue.
■ Je vais prendre ça.
■ Et comme boisson ?
■ Une carafe d'eau.

■ Garçon, s'il vous plaît, l'addition.
■ Deux menus et c'est tout. Vous payez comment ?
■ En liquide. Tenez.
■ Merci mesdames, au revoir.
■ ■ Au revoir.

Les articles partitifs

Observez ces phrases.
*Il faut **du** jambon.*
*... **de la** moutarde, il n'y en a plus.*

À QUOI ÇA SERT ?

- À déterminer des noms de la catégorie non comptable : *Vous avez **de l'**huile d'olive ? Nous avons **de la** chance, les ananas sont en réclame !*
- À exprimer des quantités indéfinies : *Vous voulez **des** cerises comme dessert ?* (= une certaine quantité) *Voilà **du** gâteau pour ton goûter.* (= une part de gâteau).

Comment exprimez-vous la quantité imprécise dans votre langue maternelle ?

	MASCULIN	FÉMININ
SINGULIER	du / de l'	de la / de l'
PLURIEL	des	

Attention ! Après un verbe à la forme négative, on utilise toujours ***pas de (d'), jamais de (d')...***

*Il y a **du** pain. ➛ Il n'y a **pas de** pain.*
*Je veux **de l'**ananas. ➛ Je ne veux **pas d'**ananas.*
Sauf avec le présentatif *c'est* :
Berk ! Ce n'est pas du pain ! C'est du caoutchouc !
Après le verbe *aimer*, on n'utilise pas les articles partitifs :
*J'aime beaucoup **le** pain et **les** ananas.*

1 Complétez les phrases suivantes à l'aide d'un partitif.

1) Va à la crémerie et achète ... fromage.
2) Mon petit déjeuner ? ... café et une tartine avec ... confiture.
3) Laurent préfère manger ... céréales avec ... lait.
4) Le soir, je fais toujours un repas léger ... légumes et ... poisson grillé.
5) Qu'est-ce que tu préfères ... viande ou ... poulet ?

2 Mettez les phrases suivantes à la forme négative.

1) Ce soir, on mange des pâtes.
2) J'ai mis du sucre dans mon thé.
3) Je mange de la viande tous les jours.
4) J'ai acheté des olives pour la salade.
5) En été, je bois toujours de la bière.
6) Elle veut de l'eau minérale.
7) Au menu, il y a de la soupe de poisson.
8) Elle a de la patience avec sa fille.
9) Aujourd'hui, j'ai de l'appétit.

Les adverbes de quantité

peu de vin

assez de vin

beaucoup de vin

trop de vin

3 Complétez avec un adverbe de quantité.

1) Il y a ... monde sur la plage, je ne sais pas où mettre ma serviette.
2) Rajoute ... sel dans la sauce, c'est fade.
3) Est-ce qu'il y a ... pain pour tout le monde ?
4) Achète ... saucisson pour ce soir.
5) Ne me sers pas ... vin, je vais être soûle !
6) Je n'ai pas ... essence, je vais tomber en panne !
7) Tu manges ... bonbons, tu vas grossir !
8) Nous avons ... amis dans le quartier.

L'expression de la quantité

QUANTITÉ PRÉCISE		QUANTITÉ IMPRÉCISE		
art. indéfini / numéral + nom comptable	**les « unités de mesure »**	**articles partitifs + nom non comptable**	**adverbes de quantité**	
un camembert **une** pizza **trois** yaourts **cinq** pommes	un **morceau de** lard un **paquet de** pâtes un **kilo d'**aubergines une **tasse de** café un **litre de** lait une **bouteille de** vin	**du** fromage **de la** moutarde **de l'**huile **des** oranges	**(un) peu** **assez** **beaucoup** **trop** **moins** **plus**	**de / d'**

Rappel

*Je **ne** mange **pas de** chocolat, ça fait grossir ! Il ne peut pas faire la tarte, il **n'**y a **pas** assez **de** farine.*
*J'adore le brie mais je **ne** mange **jamais de** camembert.*

Attention ! **peu de** et **un peu de** s'emploient avec des noms non comptables : ***un peu** de vin / **peu** de vin.*
Mais avec des noms comptables, on emploie seulement **peu de** : *Nous avons **peu d'**amis ici.*

4 Faites correspondre les questions et les réponses.

1) J'achète combien de sucre ?
2) Il faut combien d'œufs ?
3) Je mets combien de chocolat ?
4) Quelle quantité de lait faut-il ?
5) On met des fruits aussi ?
6) Je prévois du vin pour ce soir ?

a) Oui, deux bouteilles.
b) Trois.
c) Une tablette et demie.
d) Un demi-litre.
e) Oui, quatre ou cinq pommes.
f) Un kilo.

le pronom *en*

Observez ces phrases.
Quel mot le pronom *en* remplace-t-il ?
Je vais chercher du lait, j'en prends combien ?
Prends un peu de fromage, il n'en reste plus.

À QUOI ÇA SERT ?

- À remplacer un nom précédé par une indication de quantité précise ou imprécise : *Du chocolat ? Oui, j'**en** mange souvent / une tablette par jour.*

PLACE DE *EN*

- Comme les autres pronoms compléments, le pronom *en* précède toujours le verbe, sauf à l'impératif affirmatif :
*Ce cidre est naturel, bois-**en** sans crainte !*

QUANTITÉ TOTALEMENT IMPRÉCISE

- Si *en* remplace un nom précédé d'un partitif, il est employé seul : *Du café ? N'**en** prends pas si tu dors mal !*

AVEC UN AUTRE INDICATEUR DE QUANTITÉ

- *En* se combine avec l'article, le numéral, l'adverbe de quantité ou l'expression correspondante :
*Tu as une voiture ? Oui, j'**en** ai **une**, une Renault.*
*Mais oui, ils ont des enfants ! Ils **en** ont **quatre** !*
*Vous avez des tomates ? J'**en** voudrais **un kilo**.*
*À midi, je bois toujours du vin, mais j'**en** bois seulement **un petit verre**.*
*Le docteur m'a dit de boire de l'eau, mais je n'**en** bois pas **beaucoup**.*

Attention ! les verbes en *-er* prennent un *-s* à l'impératif affirmatif devant *en* : *Cette tarte est délicieuse, manges-**en** donc !*

5 Répondez aux questions suivantes en utilisant le pronom *en*.

1) Vous prenez du café au petit déjeuner ?
2) Vous mangez souvent du chocolat ?
3) Vous prenez parfois des vitamines ?
4) Vous buvez du vin à table ?
5) Croyez-vous que les Italiens mangent beaucoup de pâtes ?
6) Savez-vous si les Français mangent souvent du fromage ?

La diététique et vous

1 Observez cette « pyramide des aliments ».

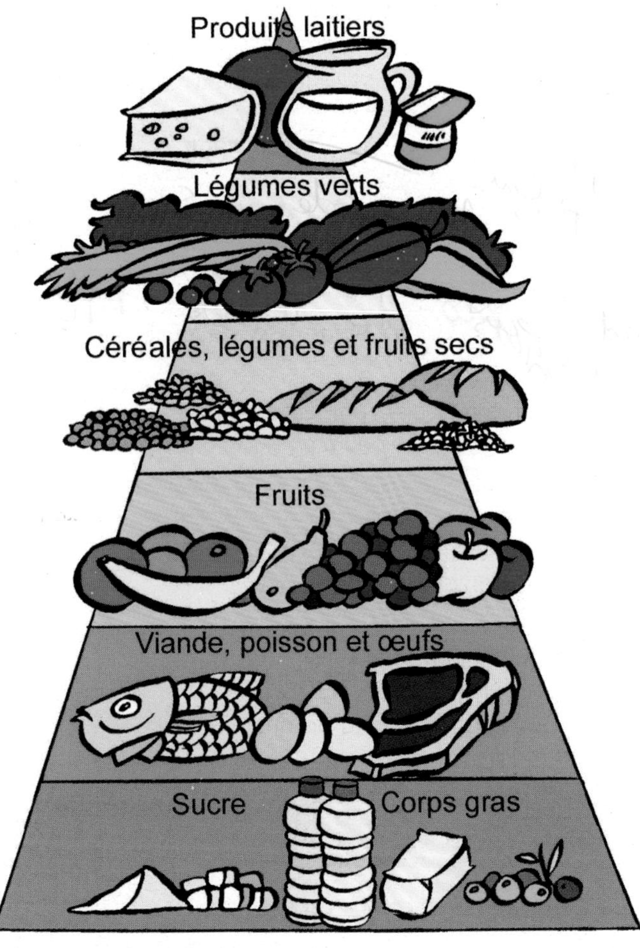

Apprécier ce que l'on mange, donner son avis sur un plat.
C'est délicieux / copieux / froid / chaud / épicé / fade / salé / sucré...
Comment mangez-vous la viande ? saignante (rouge), à point ou bien cuite ?

2 Quels sont vos aliments préférés ? Quels sont ceux que vous n'aimez pas ?

3 Que prenez-vous au petit déjeuner ?

4 Posez les questions précédentes à votre voisin(e).

5 Au restaurant ou à la maison, quels aliments prenez-vous en entrée ou en hors-d'œuvre, comme plat principal et comme dessert ?

6 Qu'est-ce que vous avez mangé la dernière fois que vous êtes allé(e) au restaurant ?

[ʃ] / [ʒ]

1 Écoutez les différences : [ʃ] comme dans *chocolat*, [ʒ] comme dans *manger*.

2 Écoutez les mots suivants et dites, pour chaque mot, si le son prononcé est [ʃ] ou [ʒ].

	1	2	3	4	5	6	7	8
[ʃ]								
[ʒ]								

Pour manger et boire en France...

1 Lisez cette page d'un guide sur la France.

À RETENIR...

Si vous voulez boire un café dans un bistrot, demandez... un petit noir, serré ou non, un crème, un noisette ou un café au lait.

Si vous voulez manger, n'oubliez pas...
Les horaires des restaurants vont habituellement :
- de 12 h à 13 h 30,
- de 19 h 30 à 21 h 30.
Mais vous avez des brasseries qui ferment très tard le soir et offrent de très bons plats.

Si vous voulez prendre l'apéritif (l'apéro), buvez comme la tradition le veut un pastis, un kir ou, si vous êtes un irréductible de l'eau, un Vittel cass ou un diabolo grenadine.

Si vous voulez manger "sur le pouce" et pas cher, demandez... une gaufre, une crêpe ou un croque-monsieur.

Si vous buvez du vin, commandez... du rouge (avec la viande rouge et blanche), du rosé ou du blanc (sec ou doux).

Si vous préférez l'eau minérale, demandez-la plate ou gazeuse.

Si vous prenez du champagne, buvez-le, comme la majorité des Français... brut ou sec mais bien frappé (frais). Le fin du fin, un dîner aux chandelles et au champagne !

Si vous aimez les digestifs, prenez... un cognac, un armagnac ou un calva (calvados).

Un repas sans fromage est comme un jour sans pain.

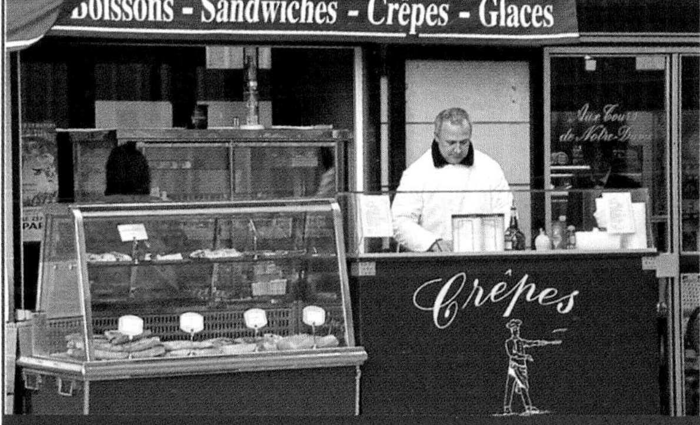

Si vous êtes pressé... une petite recette savoureuse et vite faite :
Le croque-monsieur (pour 1 personne)
Prenez 2 tranches de pain de mie, mettez à l'intérieur une tranche de jambon blanc et de chaque côté, du gruyère râpé. Trempez le pain de mie dans de l'œuf battu avec une goutte de lait. Faites dorer à feu doux des 2 côtés. Vous avez un succulent croque-monsieur à manger bien chaud ! Si vous faites frire 2 œufs sur le tout, vous aurez un croque-madame, également excellent !

2  Fabriquez, en petits groupes et en suivant les mêmes rubriques, une page d'informations sur les habitudes alimentaires de votre pays.

expressions pour...

Retrouvez dans la leçon les expressions pour :

- Parler d'aliments et de plats.
- Parler des qualités d'un produit.
- Parler de la quantité.
- Demander / Dire le moyen de paiement utilisé.
- Proposer quelque chose.
- Commander dans un restaurant.
- Acheter quelque chose.

Parler

1 Au marché.

Par groupes de 2, jouez la scène.
Vous allez au marché de votre quartier. Ajoutez trois produits à votre liste. L'un de vous joue le rôle du / de la marchand(e), l'autre du / de la client(e).

2 Les courses de la semaine.

Par groupes de 3, jouez la scène.
Vous partagez un appartement avec un(e) ami(e). Vous allez faire les courses de la semaine ensemble. Dans le supermarché, vous vous rappelez ce qu'il vous faut. Ensuite vous payez à la caisse.

3 Au restaurant.

Par groupes de 3, jouez la scène.
Choisissez un des menus et passez votre commande. Demandez des explications au serveur.

4 Aimez-vous cuisiner ?

Préparez un court exposé où vous expliquez au groupe-classe si vous préférez recevoir des invités à la maison et leur préparer le repas, si vous cherchez quelqu'un pour cuisiner à votre place ou si vous préférez les inviter au restaurant. Donnez vos raisons.

Lire

gourmand, ande adj. et n. *C'est un enfant **gourmand**,* il aime manger beaucoup de bonnes choses. *Chloé est une petite **gourmande**.*

■ **gourmandise** n.f. *Il a eu une indigestion à cause de sa **gourmandise**,* parce qu'il a été gourmand.

gourmet n.m. Un **gourmet** aime la cuisine raffinée (= gastronome, connaisseur).

gourmette n.f. *Céline porte une **gourmette**,* un bracelet formé de maillons. *illustr. p. 150*

gourou n.m. *La police a interrogé le **gourou** de la secte,* le maître jouissant d'une grande autorité.

gousse n.f. *Après avoir écossé les petits pois, on jette les **gousses**,* les enveloppes qui les contenaient (= cosse). Une **gousse d'ail** est chacune des parties du bulbe de l'ail.

gousset n.m. Un **gousset** est une petite poche de gilet.

goût n.m. SENS 1. Le **goût** est celui des cinq sens qui permet de connaître la saveur des aliments. SENS 2. *Ce fruit n'a pas de **goût*** (= saveur). ●● ***arrière-goût, avant-goût***. SENS 3. *Elle a décoré sa maison avec **goût**,* en montrant qu'elle savait distinguer le beau du laid. Une plaisanterie **de mauvais goût** est inconvenante, choquante. *Angélique s'habille toujours avec **bon goût**,* avec une élégance sobre. SENS 4. *Alban a du **goût** pour la lecture,* il l'aime. *Nous avons les mêmes **goûts**,* nous aimons les mêmes choses. *Son appartement est décoré **au goût du jour**,* d'une façon qui plaît actuellement (= à la mode).

■ **goûter** v. 1er groupe. [SENS 1] ***Goûte** cette sauce !,* manges-en un peu pour savoir si elle est bonne. [SENS 4] *J'ai **goûté** ce livre,* je l'ai aimé. ◆ *C'est l'heure de **goûter**,* de manger son goûter.
✱ Ne pas confondre avec **goutter**.

■ **goûter** n.m. *Elle emporte du pain et du chocolat pour son **goûter**,* pour son repas du milieu de l'après-midi.

Réfléchissons.
Le dictionnaire, pour quoi faire ?
Que pensez-vous des propositions suivantes ?
Je cherche un mot dans le dictionnaire pour...

- connaître sa définition.
- trouver un exemple pour mieux comprendre le mot.
- trouver un synonyme.
- connaître les différents sens du même mot.
- connaître des mots de la même famille.
- connaître son orthographe.
- connaître sa prononciation.

Commentez vos réponses avec le groupe-classe.

1 Comment consulter un dictionnaire ?

1) Regardez cet extrait d'une page de dictionnaire pour débutants. Recherchez comment on indique typographiquement...
   - la catégorie grammaticale
   - le genre du mot
   - les différents sens du même mot
   - les exemples donnés
   - les synonymes.

2) Consultez maintenant un dictionnaire normal.
   - Cherchez une expression toute faite avec le mot *sourd*.
   - Quel est le genre du mot *tomate* ?
   - Prononce-t-on le « s » du mot *hélas* ?
   - Quelle est la catégorie grammaticale du mot *néant* ?
   - Cherchez un synonyme du mot *drôle*.

2 Avec le groupe-classe, commentez vos réponses et les difficultés que vous pouvez rencontrer (ou que vous avez rencontrées).

3 Observez l'extrait ci-dessus.

1) Quels sont les mots qui se réfèrent à la nourriture ?
2) Est-ce que *gourmette* est le féminin de *gourmet* ?
3) Quels sont les deux sens les plus courants du verbe *goûter* ?

GASTRONOMIE ET SANTÉ

numéro 201

Testez-vous : quel est votre profil alimentaire ?

Pour certains, le repas constitue un moment privilégié pour déguster, seuls ou accompagnés, de très bons plats. Pour d'autres, l'important, c'est d'avoir le ventre toujours plein. Et vous, quelle est votre relation avec la nourriture ? Pour le savoir, répondez le plus sincèrement possible aux questions suivantes.

1 *À la télévision, vous regardez un cuisinier préparer longuement un plat qui semble délicieux.*

a) Vous enregistrez le programme pour préparer ce plat à votre famille ou vos amis.
b) La seule vue de ce programme vous donne faim et vous ouvrez le frigo pour...
c) Vous zappez : Bof ! Pourquoi faire un nouveau plat ?

2 *Au restaurant, le plat que vous voulez est à 11,79 € mais le menu est à 14, 94 €.*

a) Vous prenez votre plat à la carte parce que vraiment vous adorez.
b) Vous prenez le menu parce que, pour quelques euros de plus, vous avez l'entrée et le dessert.
c) Vous ne voulez manger qu'un plat, alors pourquoi dépenser davantage ?

3 *Lorsque vous achetez au supermarché ou au marché, vous choisissez...*

a) un peu de tout mais surtout des mets très raffinés pour d'éventuels petits repas fins.
b) des produits faciles à cuisiner et en grande quantité : il vaut mieux avoir des réserves !
c) toujours les mêmes produits : des produits qui se cuisinent peu ou pas du tout.

4 *À la fin d'un repas extrêmement copieux, on vous apporte un plateau de fromages. Quelle est votre réaction ?*

a) Vous hésitez et décidez de goûter un fromage qui semble vraiment délicieux.
b) « Pas de bon repas sans fromage ! » Alors pourquoi ne pas leur faire honneur, même si vous n'avez plus faim ?
c) Vous préférez attendre le dessert parce que vous n'avez plus faim.

5 *Quand vous préparez un bon repas, vous choisissez les plats...*

a) en fonction de votre humeur et de vos désirs : pourquoi faire toujours attention ?
b) en fonction des produits que vous trouvez au supermarché le plus proche.
c) uniquement en fonction des calories qu'ils contiennent.

6 *Votre salade de pommes de terre aux anchois était délicieuse. Il en reste un peu...*

a) pour la poubelle.
b) pour tout de suite.
c) pour demain.

Votre score
majorité de a : Vous prenez beaucoup de plaisir à manger, à découvrir de nouveaux plats et de nouveaux goûts. Vous aimez la fonction sociale des repas. Vous mangez raisonnablement. Vous êtes un gentil gourmand !
majorité de b : N'êtes-vous pas un peu goulu ? Après tout, pourquoi pas ? Attention tout de même : manger en très grande quantité est mauvais pour la santé !
majorité de c : Ni gourmand ni goulu... « Il faut manger pour vivre et non pas vivre pour manger » est votre devise. Êtes-vous vraiment indifférent aux plaisirs de la table et de la cuisine ou désirez-vous plutôt garder votre ligne ou... êtes-vous indifférent à tous les plaisirs ?

3 **Commentez ensemble vos résultats. Quel profil avez-vous ? Êtes-vous d'accord avec les résultats ?**

Dis-moi comment tu manges, je te dirai qui tu es...

Par petits groupes, élaborez six questions qui permettent de connaître les habitudes alimentaires de votre groupe-classe (horaires et fréquence des repas, types d'aliments, plats préférés...).

Les cornichons

On est partis samedi
Dans une grosse voiture
Faire tous ensemble
Un grand pique-nique dans la nature
En emportant
Des paniers, des bouteilles,
Des paquets et la radio.

Des cornichons,
De la moutarde,
Du pain, du beurre,
Des petits oignons,
Des confitures
Et des œufs durs.
Des cornichons,
Du corned beef
Et des biscottes,
Des macarons,
Un tire-bouchon,
Des petits-beurres
Et de la bière.
Des cornichons...
On n'avait rien oublié,
C'est maman qui a tout fait,
Elle avait travaillé
Pour nous sans s'arrêter,
Pour préparer
Les paniers, les bouteilles,
Les paquets et la radio...
Le poulet froid,
La mayonnaise,
Le chocolat,
Les champignons,
Les ouvre-boîtes
Et les tomates.
Les cornichons...

Mais quand on est arrivés,
On a trouvé la pluie,
Ce qu'on avait oublié,
C'était le parapluie.
On a ramené

Les paniers, les bouteilles,
Les paquets et la radio.
On est rentrés manger à la maison
Le fromage et les boîtes,
Les confitures et les cornichons,
La moutarde et le beurre,
La mayonnaise et les cornichons,
Le poulet, les biscottes
Les œufs durs et puis les cornichons.

Nino Ferrer

1 Écoutez bien la chanson et regardez le dessin ! Le jeu, c'est de chercher trois mots qui commencent par *b, c, o* ou *p*.

2 Pourquoi tout le monde repart à la maison ?

Situations 1, 2 et 3 > Au centr

SITUATION 1
Une robe rouge

- Eh ben, te voilà ! Ça fait un quart d'heure que je t'attends et en plus, j'ai mal à la gorge !
- Excuse-moi, ce n'est pas de ma faute ! Il y a plus de monde dans le métro que d'habitude.
- On voit que ce sont les soldes ! Allez, dépêchons-nous ! On y va !
- On va où ?
- Mais à *Dégriff'fringues !* Il y a des trucs super et pas chers !
- Tu y es déjà allée ?
- J'en viens ; j'ai essayé une robe qui me plaît beaucoup mais j'aimerais te la montrer. J'hésite : j'en voulais une un peu moins habillée ! Et puis, je ne sais pas si c'est vraiment ma taille !
- Bon, eh ben je te donne mon avis et toi, tu m'aides à choisir des chaussures ! Il y en a, j'espère !
- Ouais, pas autant que chez *André* et comme pointures, ils ont surtout du 37 et du 40 !
- Ça va ! Je chausse du 37 ! Où il est, ce magasin ?
- Juste à côté ! Allez ! Vite ! Ça va bientôt fermer ! Tu me diras si elle me va bien, la robe ?
- Mais oui ! Elle est de quelle couleur ?
- Elle existe en rouge et en noir... Je la préfère en rouge, un rouge pas aussi foncé que ton pantalon mais presque ! Oh, je l'adore !

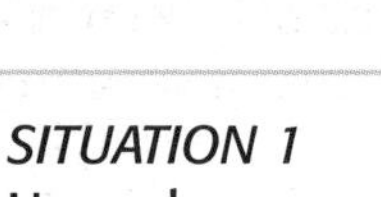

SITUATION 2
Au bureau de tabac

- Oh là, là, quelle queue ! On s'en va ?
- Non, on reste ! Toi, tu l'as, ta robe mais moi, j'ai absolument besoin de tickets d'autobus ! Et puis, ça va vite !... Tu ne veux rien, toi ?
- Ben, je ne sais pas !... Oh si, j'ai envie de prendre une carte postale pour Chloé !
- Oui, ici elles sont chouettes ! Et ce sont les moins chères du quartier !
- Voyons !... Ah, tiens ! Cette photo me plaît beaucoup ! Ouais, je la prends.
- Bon, c'est mon tour ! Alors, j'ai le journal pour ma mère, la revue de photo pour Pierre... Je voudrais deux timbres et des tickets d'autobus, s'il vous plaît.
- Voilà... c'est tout ?
- Oui, c'est tout ! Ça fait combien ?
- 14,75 €. Oh là, là ! Encore un gros billet !
- Je n'ai pas une seule pièce ! Et c'est mon seul billet !
- Bon ! Eh ben maintenant, je n'ai plus du tout de monnaie !

ville

SITUATION 3
À la pharmacie

■ Mesdemoiselles !
■ Bonjour monsieur ! Voilà : j'ai mal à la gorge, à la tête, je suis très enrhumée... Je voudrais un médicament !
■ Vous avez une ordonnance ? Vous êtes allée chez le médecin ?
■ Non, non, je n'y suis pas allée, je n'ai pas eu le temps et c'est seulement un rhume !
■ Vous avez de la fièvre ?
■ Je ne crois pas... je ne me sens pas très bien et je tousse, c'est tout !
■ Je vous donne un sirop et des pastilles pour la gorge ?
■ Vous n'avez pas quelque chose de plus fort ?
■ Non, non, pas sans ordonnance !
■ Bon ! Il me faut aussi cette brosse à dents et ce tube de dentifrice !
■ D'accord ! Tenez, voilà ! C'est tout ?
■ Oui, c'est tout !
■ Vous allez voir, avec ça, vous irez vite beaucoup mieux !
■ J'espère ! Je vais à un mariage samedi. Je veux être guérie et moins laide qu'aujourd'hui !
■ Mais oui, vous allez voir, vous serez en forme et très mignonne.
■ Merci beaucoup !
■ ■ Au revoir monsieur !
■ Au revoir mesdemoiselles ! À bientôt !

1 Écoutez les trois situations, puis répondez aux questions suivantes.

1) Où et pour quoi faire Mathilde et Claudine se rencontrent-elles ?
2) Par quoi ont-elles prévu de commencer leurs courses ?
3) Dans quels commerces vont-elles ?
4) Est-ce qu'au départ les deux amies sont d'accord pour entrer au bureau de tabac ?
5) Qu'est-ce qu'elles y achètent ?
6) Pourquoi est-ce que Mathilde va à la pharmacie ?
7) Le pharmacien pense-t-il qu'elle se remettra rapidement ?

2 Réécoutez les enregistrements et répondez aux questions. Justifiez vos réponses.

1) Pourquoi les deux amies sont-elles pressées ?
2) Font-elles les achats qu'elles voulaient faire dans la boutique de mode ?
3) Pourquoi est-ce que le buraliste n'est pas content ?
4) Que donne le pharmacien à Mathilde ?
5) Pourquoi il ne peut rien lui donner de plus fort ?
6) Pourquoi Mathilde veut-elle guérir rapidement ?

3 Faites le résumé de ces situations.

Mathilde attend Claudine à la sortie du métro.
Elle n'est pas contente parce que...

4 Comparez votre résumé avec celui de votre voisin(e).

L'expression de la comparaison

Observez ces phrases.

Quels sont les mots qui indiquent la supériorité, l'infériorité et l'égalité ?

Il y a plus de monde que d'habitude !
Il y en a, mais pas autant que chez André.
Un rouge pas aussi foncé que ton pantalon.
Je veux être moins laide qu'aujourd'hui !

Observez le tableau ci-dessous.

Quand est-ce qu'on utilise *plus / moins ... que* et *plus de / moins de ... que ?*
Quand est-ce qu'on utilise *aussi ... que ?*
Et *autant de ... que ?*
Et *autant que ?*

	SUPÉRIORITÉ	INFÉRIORITÉ	ÉGALITÉ
ADJECTIFS	Claudine est **plus** sympa **que** Mathilde.	Mathilde est **moins** sympa **que** Claudine.	Mathilde est **aussi** bavarde **que** Claudine.
NOMS	Il y a **plus de** monde **que** d'habitude.	Il y a **moins de** monde **que** d'habitude.	Il y a **autant de** monde **que** d'habitude.
VERBES	Nathalie travaille **plus que** Jean.	Jean travaille **moins que** Nathalie.	Jean gagne **autant que** Nathalie.
ADVERBES	J'achète des vêtements **plus** souvent **que** toi.	Tu achètes des vêtements **moins** souvent **que** moi.	Nous faisons les soldes **aussi** souvent **que** nos amis.

CHOIX DU COMPARATIF

Ce choix dépend du rapport que l'on établit (supériorité, infériorité ou égalité) et du mot sur lequel porte la comparaison. Le deuxième terme de la comparaison est toujours *que*. Mais il est souvent sous-entendu :
Ton appartement est plus confortable (que mon studio).
Aujourd'hui, je suis plus fatiguée (qu'hier).

Attention ! Le comparatif de supériorité de *bon* (adjectif) est *meilleur* et celui de *bien* (adverbe) est *mieux* :
*Il fait **bon** à Toulouse, mais il fait **meilleur** à Nice.*
*Tu cuisines **bien**, mais il cuisine **mieux** que toi !*

QUELQUES EXPRESSIONS FIGÉES

Il est rouge comme une tomate.
Il est haut comme trois pommes.
Il est beau comme un Dieu.
Elle est jolie comme un cœur.
Il est malin comme un singe.

Quelles expressions équivalentes avez-vous dans votre langue ?

1 Réagissez aux affirmations suivantes.

1) Les adultes dorment autant que les enfants.
2) Les jeunes regardent plus la télévision que les personnes âgées.
3) Les vêtements pour enfants sont moins chers que les vêtements pour adultes.
4) En été, il y a plus de monde dans le métro qu'en hiver.
5) Dans le nord de la France, il fait plus chaud et il pleut moins que dans le sud.
6) Zidane est plus célèbre que Thierry Henry mais moins que Beckham.
6) En Espagne il y a autant de fromages qu'en France.

2 Mettez ces phrases en ordre.

1) jupe / la / est / que / bleue / moins / noire / la / chère
2) vêtements / elle / plus / achète / de / moi / que
3) le / autant / il / samedi / y / monde / que / vendredi / le / a / de
4) Karim / mieux / qu'/ se / hier / sent
5) journal / que / cette / plus / revue / cher / coûte / le
6) dernier / je / plus / l' / que / fatiguée / trouve / été / la
7) le / utilise / maintenant / fixe / téléphone / on / autant / portable / que / le

3 **Complétez les phrases suivantes avec *aussi / autant que / autant de.***

1) Le handball est ... intéressant que le football, mais il n'a pas ... succès.
2) Les femmes ne travaillent pas ... les hommes, elles travaillent plus !
3) Les wagons-lits sont ... chers que l'avion.
4) Muriel a ... vacances que Didier.
5) Tu crois que les garçons lisent ... que les filles ?
6) Marinette est ... aventurière aujourd'hui qu'il y a 20 ans.
7) Il n'y a plus ... enfants qu'avant.

Le superlatif

Observez ces phrases.

Ce sont ***les moins chères*** *du quartier !*
Bill Gates est l'homme ***le plus riche*** *du monde.*

FORMATION

Le superlatif se forme à l'aide d'un comparatif précédé d'un article défini. Quand il est précisé, le complément du superlatif est précédé de la préposition *de*.

Attention ! Le superlatif de supériorité de *bon* est *le / la / les meilleur(e)(s)* et celui de *bien* est *le / la / les mieux* :
Ce sont ***les meilleures*** *crêpes de la ville.*
C'est le magasin ***le mieux*** *équipé.*
Le superlatif d'infériorité est régulier :
C'est en anglais que j'ai eu ***les moins bons*** *résultats / que j'ai* ***le moins bien réussi.***

4 **Faites des phrases avec les éléments proposés. Utilisez des superlatifs.**

1) avion - moyen de transport
2) français - langue
3) Mexico DF - polluée
4) *anticonstitutionnellement* - long

Les pronoms adverbiaux de lieu *en* et *y*

Observez ces phrases.

Dites quels mots remplacent les pronoms employés.
–Tu es déjà allée à Dégriff'fringues ?
*–J'****y*** *suis déjà allée.*
*–J'****en*** *viens.*

LE PRONOM *Y*, À QUOI ÇA SERT ?

- À indiquer le lieu où l'on est :
  –Mes amis sont dans le bar ? Je ne les vois pas !
  –Mais si, ils ***y*** *sont, regarde bien !*
- À indiquer le lieu où l'on va :
  –Tu pars en Hollande ce mois-ci ?
  –Non, je vais ***y*** *aller le mois prochain.*

LE PRONOM *EN*, À QUOI ÇA SERT ?

- À indiquer le lieu d'où l'on vient :
  –Tu connais la France ?
  *–Mais oui, j'****en*** *viens ! (Je viens de France.)*

Attention à la prononciation !

N'oubliez pas de faire la liaison :
Vous en venez. Allons-y !

Relisez les exemples précédents.

Quelle est la place des pronoms *en* et *y* avec des verbes au présent, à l'impératif, au passé composé et au futur proche ?

5 **Remplacez les compléments de lieu soulignés par le pronom qui convient.**

1) Nous pouvons nous retrouver à la station Saint-Michel à midi.
2) Je suis resté chez moi jusqu'à 5 h.
3) Ils reviennent de l'université à pied tous les jours.
4) Tu vas à l'école en autobus ?
5) Elle est sortie du bureau à 17 h pour aller faire des courses.
6) Après les cours, je vais aller au centre commercial.
7) Tu repartiras de Paris avec ton frère ?
8) J'ai acheté des bottes dans cette boutique.
9) Elle est revenue de Grenoble en train car sa voiture est tombée en panne.
10) Elle accompagne sa mère au marché tous les jours.

Quelques repères pour les courses

1 Regardez la liste de Caroline. Où va-t-elle acheter chaque article ? Que peut-on trouver à la fois dans un bureau de tabac et à la poste ?

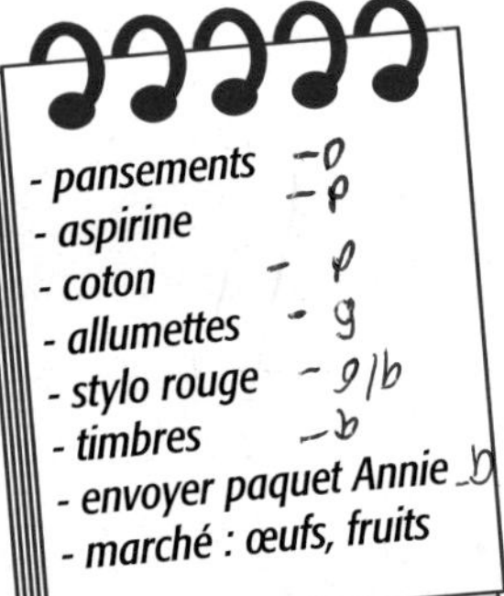

En France, 17 000 bureaux de poste à votre service pour...
- acheter des timbres
- envoyer lettres et paquets en recommandé, avec accusé de réception, en courrier accéléré ou au tarif normal
- recevoir ou envoyer un mandat
- envoyer vos télécopies (fax)

Le bureau de tabac vous propose le matériel du fumeur (cigarettes, allumettes, briquets...) mais aussi de quoi écrire : enveloppes, timbres, stylos..., des friandises et les bulletins pour le tiercé ou le Loto.

Les produits de première nécessité :
- des pansements
- de l'alcool à 90°
- des cachets d'aspirine
- des comprimés pour l'estomac, le foie...
- un sirop ou des pastilles pour la gorge
- un thermomètre et autres : crèmes, coton, couches...

Pour payer
- par chèque
- par carte bancaire
- en liquide (avec des billets et des pièces)
- avoir de la monnaie

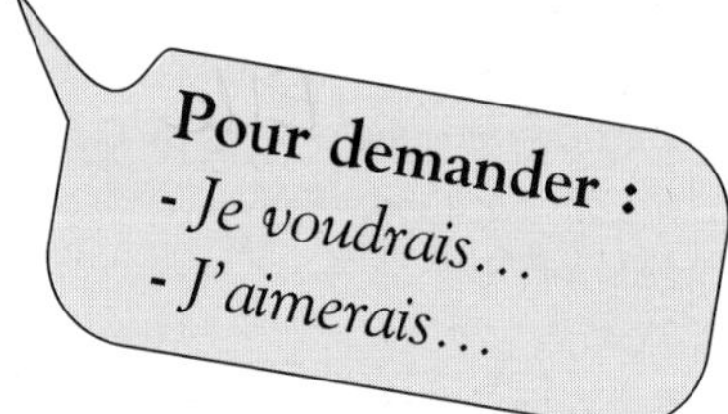

[s] / [z]

1 Écoutez les différences : [s] comme dans *cinéma, passer* ou *place*, [z] comme dans *zéro, frisé* ou *rose*.

2 Écoutez et soulignez la phrase que vous entendez.

	[s]	[z]
1)	a) Les sommes d'aujourd'hui.	b) Les hommes d'aujourd'hui.
2)	a) Il n'a pas de sel.	b) Il n'a pas de zèle.
3)	a) C'est son coussin.	b) C'est son cousin.
4)	a) Il y a deux faces.	b) Il y a deux phases.
5)	a) Elle achète des poissons.	b) Elle achète des poisons.
6)	a) C'est un grand dessert.	b) C'est un grand désert.

3 Écoutez et répétez.

QUELQUES CURIOSITÉS BIEN FRANÇAISES

1 Associez chaque texte avec une photo. Attention, une définition n'est pas illustrée.

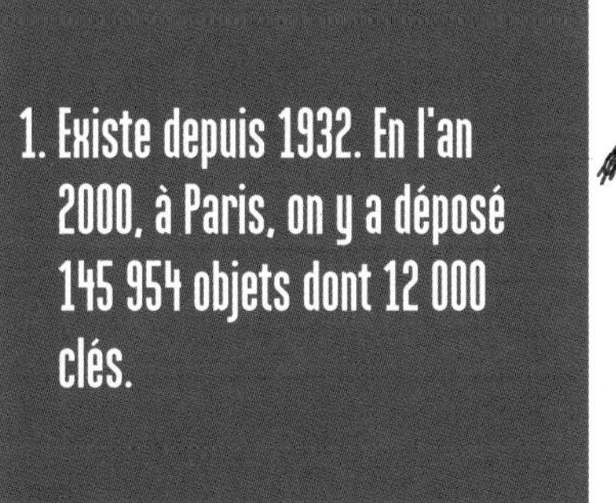

1. Existe depuis 1932. En l'an 2000, à Paris, on y a déposé 145 954 objets dont 12 000 clés.

2. On y compare les qualités, les défauts et les prix d'un même produit de différentes marques afin d'aider le(s) consommateur(s) à choisir.

3. L'amateur de vieux objets (meubles, poupées...) peut y trouver de quoi satisfaire sa passion, le week-end.

4. Préfet de la Seine, il a imposé en 1884 l'usage de la poubelle, objet auquel il a laissé son nom.

5. L'effet d'une bombe ! La maison Réard le lance en 1946. Il porte le nom d'un atoll du Pacifique où vient d'exploser la première bombe atomique. C'est la révolution sur la plage !

2 Associez chaque personnage à l'illustration correspondante, puis à un des textes précédents.

a) le collectionneur b) le consommateur c) l'inventeur d) le distrait e) la vacancière

Retrouvez dans la leçon les expressions pour :

expressions pour...

- Comparer.
- Parler d'un vêtement.
- Parler d'un problème de santé.
- Donner un argument supplémentaire.
- Exprimer un doute.
- Demander / Dire le prix de quelque chose.

Parler

1 Choisir un vêtement.

Par groupes de 3, jouez la scène.
Sandrine est invitée à une soirée.
Pour cette occasion, elle va s'acheter des vêtements dans un magasin avec son amie Esther.
Elle en essaie plusieurs et son amie l'aide à choisir. Comparez les qualités des vêtements.

2 Au bureau de tabac.

Par groupes de 3, jouez la scène.
Loïc et Andréa vont au bureau de tabac.
Il veut acheter des cigarettes, des timbres et des cartes postales. Elle, le journal et une revue de mode.

3 Au magasin de chaussures.

Par groupes de 3, jouez la scène.
Deux amis, Yves et Simon, vont dans un magasin de chaussures. Yves veut s'acheter une paire de bottes, Simon des baskets. Le / La vendeur(euse) les conseille et compare les avantages des différents modèles.

4 Improvisation : ça ne va pas !

Par groupes de 2, jouez la scène.
Thomas se sent très mal. Il va dans une pharmacie pour acheter des médicaments.

Réfléchissons !
Comment procédez-vous quand vous improvisez un dialogue ?

- J'essaie de prononcer correctement.
- J'essaie de me faire comprendre sans me décourager : si c'est nécessaire, je répète ou je change ma phrase.
- Je cherche à réutiliser les mots que j'ai appris, puis à varier les mots que j'utilise.
- J'utilise seulement des mots que je connais.
- Je préfère parler lentement mais correctement.
- Je préfère parler vite, même si je fais des fautes.
- J'essaie de faire un dialogue imaginatif, original, amusant... dans la mesure de mes possibilités.
- Je demande à mon interlocuteur de répéter si je n'ai pas compris.
- J'essaie de penser en français.
- J'utilise des gestes, des mimiques pour m'aider.

Commentez vos réponses avec le groupe-classe.

1 Lisez le conte suivant.

Une drôle de chasse au trésor

Je suis un petit garçon et je m'appelle Siloé. J'aime bien lire. Mais ce que j'aime encore plus, c'est lire allongé sur mon lit. Il peut arriver n'importe quoi : je ne m'en rends pas compte.
La preuve... Avec mes parents, nous venons de déménager dans une nouvelle maison. En attendant que ma chambre soit peinte et tapissée, ils ont installé mon lit dans la buanderie. C'est rigolo, je dors à côté de la machine à laver et de la planche à repasser.
Cet après-midi, j'étais en train de lire sur mon lit, comme d'habitude. Maman est entrée et m'a demandé si le bruit de la machine me gênait. Depuis que ma petite sœur Alizée est arrivée, on a beaucoup de linge à laver et la machine fonctionne souvent. J'ai répondu : " Non, cela ne me gêne pas. Quand je lis, rien ne me gêne. "
Maman a rempli la machine à laver, a appuyé sur le bouton, avant de ressortir s'occuper d'Alizée. Alizée est encore un bébé : il faut sans arrêt s'en occuper. Moi, j'ai continué à lire. Longtemps. Très longtemps. Je lisais un livre qui racontait une chasse au trésor, et j'étais tellement absorbé que j'entendais presque les "glou-glou" des vagues autour du bateau des marins courageux.
Puis Maman est revenue. Elle a ouvert la porte et a hurlé. Elle venait de recevoir une vague sur les pieds. Oui, une vague, une vraie ! J'ai cru un instant que c'était mon livre qui avait débordé. Mais non, c'était la machine à laver ! À cause d'une fuite, il y avait dix centimètres d'eau dans la pièce. Et je ne m'étais aperçu de rien.
Maman a appelé Papa, furieuse que je ne les aie pas prévenus plus tôt du désastre. Tous les deux se sont mis à éponger. Moi je trouvais cela plutôt drôle. Comme je ne voulais pas me mouiller les pieds, je suis resté sur mon lit. Je faisais le grand capitaine qui donnait les ordres. Papa et Maman étaient les matelots qui écopaient. Quand la pièce fut sèche, Papa, qui est bricoleur, a ouvert la machine à laver pour comprendre ce qui s'était passé.
Il a ouvert le filtre (c'est lui qui me l'a expliqué). Et là, devinez ce qu'il a trouvé : une pièce de dix francs ! Il l'avait oubliée dans une de ses poches, et elle avait bouché la machine à laver.
" Bravo, matelots ! " j'ai crié. " Nous sommes riches. Nous avons trouvé le trésor... "
" Tout est bien qui finit bien ", a conclu Papa, philosophe. " Le trésor revient au capitaine, qui pourra s'acheter des bonbons. Il faut qu'il reprenne des forces pour un prochain voyage en mer. "
Maman, elle, a trouvé que les voyages en mer étaient épuisants pour l'équipage. Elle a aussi conclu de cette aventure que je lisais trop. Les parents sont comme cela. Ils vous achètent des livres et vous conseillent de lire. Et puis après, ils changent d'avis.

2 Dites si les affirmations suivantes sont vraies ou fausses. Si elles sont fausses, rétablissez la vérité.

1) Siloé ne se rend pas compte de ce qui arrive autour de lui quand il lit sur son lit.
2) Il ne peut pas se concentrer sur sa lecture parce qu'il a une petite sœur.
3) Pendant quelque temps il doit dormir dans la cuisine.
4) Quand sa mère a ouvert la machine à laver, il était en train de lire une histoire qui se passait en mer.
5) Sa mère s'est mise en colère parce qu'il ne les a pas aidés à éponger.
6) Siloé a imaginé qu'il était le capitaine d'un navire pendant un naufrage.
7) Ses parents ont dû nettoyer la pièce où il dormait.
8) Sa mère était responsable de la fuite de la machine à laver.
9) À la fin, Siloé a eu son trésor.
10) Le père et la mère arrivent à la même conclusion.

Quelques bonnes façons de se détendre :
- rire
- faire des pauses dans la journée
- respirer
- écouter de la musique douce
la meilleure :
- choisir de boire Hépar
(1 litre d'Hépar = 110 mg de magnésium)
www.hepar.fr
n'eau fatigue
n'eau stress
NATURELLEMENT RICHE EN MAGNÉSIUM
HÉPAR
EAU MINERALE NATURELLE
PUBLICIS CONSEIL
HÉPAR. LE MAGNÉSIUM A SA SOURCE.

3 **Observez le document ci-contre, puis répondez aux questions et justifiez vos réponses.**

1) De quel type de document s'agit-il ?
2) Selon vous, à quel public s'adresse-t-il ?
3) Quelle est l'expression de la personne qui apparaît sur le document ?
4) Quel est le produit présenté dans le document ?
5) Comment est-il mis en valeur ?
6) Quel est le jeu de mots qui est fait ?
7) Quelles autres manières de vous détendre utilisez-vous ?

4 **Imaginez cette publicité avec un homme.** Comment serait-elle ?

Est-ce qu'on proposerait les mêmes activités de détente ? Pourquoi ?

Écrire

Muriel Bloch, 365 contes pour tous les âges.©Éditions Gallimard, 1995

1 **En imitant ce modèle, inventez une nouvelle devinette.**

U5 BILAN LANGUE

GRAMMAIRE

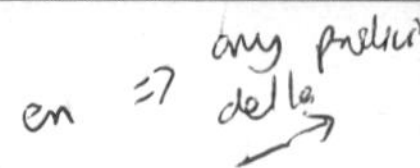

1 Complétez le dialogue suivant.

–Cédric, tu es allé faire les courses ?
–Oui, maman, j'... (1) viens.
–Tu as pensé à prendre ... (2) lait ? Il n'y ... (3) a plus.
–Oui, j'... (4) ai acheté un ... (5). J'ai pris une ... (6) de vin aussi.
–Tu as trouvé ... (7) oranges ?
–Non, il n'y avait presque pas ... (8) fruits, pas ... (9) oranges, plus de poires, j'ai acheté ... (10) pommes.
–Tu ... (11) as acheté combien ?
–Deux ... (12), ce n'est pas ... (13) ?
Le supermarché est encore ouvert ; si tu veux, j'... (14) retourne.
–Non merci, ce n'est pas la peine, ça sera suffisant pour une tarte Tatin.
–Super ! Tu fais la ... (15) tarte Tatin de la ville !
–N'exagère pas ! Voyons, est-ce que nous avons ... (16) farine ?
–Zut ! Il n'y ... (17) a pas. Je vais chez le boulanger ?
–Oui, vas-... (18) et achètes-... (19) un kilo. Prends aussi ... (20) pain de campagne.
–Je n'aime pas beaucoup ... (21) pain de campagne, c'est ... (22) bon que la baguette. Ce n'est pas ... (23) croustillant !
–Prends-... (24) une aussi, si tu veux. Tu as encore ... (25) argent ? Tiens, voici mon portefeuille et dépêche-toi !

LEXIQUE

2 Complétez le texte et découvrez un pays francophone : le Sénégal.

Climat : La moyenne des températures pendant les mois d'été est de 37°, alors prenez des ... (1) légers. Emportez des ... (2) longs pour protéger vos jambes des insectes et de bonnes ... (3) pour marcher.
Boissons : On trouve de la ... (4) de fabrication locale, excellente et pas chère. Vous goûterez aussi le ... (5) à la menthe.
Gastronomie : Le plat national est le yassa : yassa au ... (6) si vous êtes sur la côte ; il est servi avec du ... (7) cuit à la vapeur, ou yassa au ... (8) si vous préférez la viande. Sur les marchés, on peut acheter une grande variété de ... (9) : mangues, bananes, goyaves...
Courrier : Il est recommandé d'envoyer vos ... (10) et vos ... (11) de Dakar : il faut compter quatre jours pour l'Europe.
Santé : Le vaccin contre la fièvre jaune est obligatoire. Emportez une ... (12) anti-moustiques et aussi un traitement contre le paludisme. N'oubliez pas un désinfectant et des ... (13) en cas de coupure.
Argent : L'unité monétaire est le franc CFA. Vous pouvez ... (14) vos travellers chèques dans les banques et les grands hôtels mais vous pouvez aussi, dans certains endroits, payer avec une ... (15).

PRONONCIATION

3 Écoutez et indiquez la phrase entendue.

1) a) D'accord, ils aiment beaucoup. b) D'accord, ils s'aiment beaucoup.
2) a) Je regarde les taches. b) Je regarde l'étage.
3) a) Nous savons tout ce qu'il faut. b) Nous avons tout ce qu'il faut.
4) a) Il a mis l'argent dans la cage. b) Il a mis l'argent dans la cache.
5) a) Tu crois qu'ils ont froid ? b) Tu crois qu'ils sont froids ?
6) a) La vendeuse a des choux rouges. b) La vendeuse a des joues rouges.
7) a) Marcel dissimule son âge. b) Marcel dissimule son hasch.
8) a) Ils auront la date la semaine prochaine. b) Ils sauront la date la semaine prochaine.

U5 BILAN COMMUNICATION : PORTFOLIO, PAGE 17

UNITÉ 6 # Voyages / Projets

OBJECTIFS

- Utiliser la langue de la classe comme outil de travail permanent.
- Communiquer de façon simple dans des échanges commerciaux : hôtellerie, transports.
- Demander et donner des informations, des appréciations et des explications sur des services : type, nature, condition...
- Demander, choisir, retenir, payer ces services.
- Se situer dans les temps passé, présent et futur.
- Comprendre des messages téléphoniques.
- Comprendre des textes spécialisés.
- Écrire un court texte de production libre et une lettre formelle.
- Réfléchir à des stratégies d'adaptation du discours aux situations de communication.

L11 LEÇON 11

COMMUNICATION
- Dialogue formel (relations marchandes -3)
- Registre standard
- Messages téléphoniques
- Texte spécialisé

GRAMMAIRE
- Futur
- Pronoms relatifs *qui, que, où*

LEXIQUE
- Services : transports, hôtel, station-service

PRONONCIATION
- Consonnes fricatives

CIVILISATION
- Sites à visiter dans les pays francophones

L12 LEÇON 12-PROJET

OBJECTIFS
- Établir un projet en commun, exprimer ses désirs, ses préférences, ses habitudes individuelles, négocier
- Décider, planifier et présenter les différentes phases d'un projet
- Découvrir des lieux, des styles et des modalités de voyages dans des territoires francophones
- Écrire une lettre formelle
- Évaluer son bagage linguistique

Situation 1 > **En route**

- C'est encore loin ?
- À 100 km environ.
- On s'arrêtera avant, non ?
- Oui, il faut mettre de l'essence, le réservoir est presque vide.
- Alors, ça va. Tu sais, il y a Nicolas qui a téléphoné ce matin, il ne pourra pas être là le 6 juin, il viendra le 15 en train avec Sylvie.
- Et pourquoi ça ?
- Il doit remplacer un collègue jusqu'au 14. Ils arriveront le 15 à 11 h 10 et ils resteront jusqu'au dimanche soir.
- Le 15, c'est un mardi ? Alors je serai libre le matin, j'irai les chercher à la gare. On déjeunera ensemble et après je partirai au boulot.
- Attends, il nous rappellera la semaine prochaine pour confirmer. Regarde... « station-service », là, à droite, mets ton clignotant.
- Oui... tu verras, Nicolas voudra sûrement emmener Sylvie au Mont-Saint-Michel.

À la station-service...

- Bonjour !
- Bonjour, monsieur, le plein, s'il vous plaît.
- Je vous nettoie le pare-brise ?
- Oui, merci et vous pouvez aussi vérifier la pression des pneus ?
- Moi, je vais aux toilettes. J'appelle l'hôtel pour réserver la chambre ?
- Oui, on sera plus tranquilles.
- Bonjour madame, je voudrais réserver une chambre pour deux personnes pour aujourd'hui. C'est possible ?
- Attendez, je vérifie, je crois qu'on est complet... Non, vous avez de la chance, il m'en reste une avec salle de bains. C'est à quel nom ?
- Le Douarec, pour une nuit.
- Très bien, alors à tout à l'heure.

À l'hôtel...

- Bonjour, nous avons téléphoné pour réserver une chambre au nom de Le Douarec...
- Oui, c'est la 11, au premier étage. Vous avez une pièce d'identité ?
- Oui, tenez. C'est une chambre qui donne où ?
- Sur un parc qu'on ne voit pas d'ici et qui se trouve derrière l'hôtel.
- Jusqu'à quelle heure vous servez le petit déjeuner ?
- Jusqu'à 9 h 30. Votre clé ! Votre chambre est au fond du couloir.
- Merci. On a de la chance, vue sur le parc ! On monte ?
- Oui, moi, je veux prendre une douche et me changer avant de sortir.

1 Écoutez, puis répondez aux questions.

1) Pourquoi Jérôme va-t-il s'arrêter ?
2) Qu'est-ce que Nicolas a expliqué à Delphine par téléphone ?
3) Qu'est-ce que fera Jérôme le jour où Nicolas arrivera ?
4) Selon Jérôme, qu'est-ce que Nicolas aura envie de faire ?
5) Qu'est-ce que Jérôme demande au pompiste ?
6) Que propose aussi le pompiste ?
7) Que lui demande encore Jérôme ?
8) Que fait Delphine pendant qu'ils sont à la station-service ?
9) Est-ce qu'elle a bien fait de téléphoner ? Pourquoi ?
10) Quelles sont les caractéristiques de la chambre ?
11) Que veut savoir Jérôme ? Que répond la réceptionniste ?
12) Est-ce qu'ils sont contents de la chambre ? Pourquoi ?

Situation 2 > Retrouvailles

1 Écoutez l'enregistrement, puis relevez...

1) le numéro du train qui arrive.
2) le type de train.
3) la ville de départ de ce train.
4) la gare d'arrivée et le quai.
5) la destination de ce train.
6) le temps d'arrêt en gare.

2 Réécoutez, puis répondez aux questions.

1) Que dit Nicolas à propos du voyage ?
2) Est-ce que Nicolas et Sylvie ont beaucoup de bagages ? Pourquoi ?
3) Est-ce qu'ils sont en pleine forme ? Pourquoi ?

Quai numéro 1, voie A, le TGV 8713 en provenance de Paris et à destination de Brest va entrer en gare. Éloignez-vous de la bordure du quai.
Rennes, Rennes, trois minutes d'arrêt !

- Hé Nicolas, salut ! Bonjour Sylvie, vous avez fait bon voyage ?
- Oui, on était dans un wagon où il n'y avait presque personne. Mais on s'est levés tôt et je n'ai pas réussi à dormir, ouh...
- Bah, tu dormiras mieux ce soir. Allez, on y va. C'est tout ce que vous avez comme bagages ?
- Oui, on a juste pris un sac où on a mis le strict nécessaire ! On aime voyager léger, on se sent plus libres !

Quai numéro 2, le train 6760 à destination de Saint-Brieuc va partir. Attention à la fermeture des portes.
Attention au départ !

Le futur simple

Rappelez-vous : quelles structures connaissez-vous déjà pour exprimer le futur ?

Observez ces phrases.
Ils arriveront le 15 et ils resteront jusqu'au dimanche soir.
On déjeunera ensemble et je partirai au boulot après.

PARLER	PARTIR
je parler**ai**	je partir**ai**
tu parler**as**	tu partir**as**
il/elle/on parler**a**	il/elle/on partir**a**
nous parler**ons**	nous partir**ons**
vous parler**ez**	vous partir**ez**
Ils/elles parler**ont**	ils/elles partir**ont**

Attention à la prononciation !

- Souvent, le *e* qui suit l'infinitif ne se prononce pas : *Il passera me chercher à midi [pasra].*

FORMATION

- Le futur simple se forme généralement à partir de **l'infinitif** suivi des terminaisons : ***-ai, -as, -a, -ons, -ez, -ont.***
- Certains verbes ont des futurs irréguliers : *être ➛ je serai..., avoir ➛ j'aurai..., aller ➛ j'irai..., venir ➛ je viendrai..., faire ➛ je ferai..., voir ➛ je verrai..., envoyer ➛ j'enverrai...,* etc.
- Pour certains verbes en *-ER*, le futur ne se forme pas sur l'infinitif :
  acheter ➛ j'achèterai
  appeler ➛ j'appellerai

Attention à l'orthographe !

- Les verbes en *-RE* perdent le *e* de l'infinitif :
  Je mettrai ma robe de soirée dans la valise.
  Nous lirons ce guide dans l'avion.
- Pour les verbes en *-YER*, le *y* devient *i* :
  Tu essuieras la vaisselle avant de te coucher.
  Mais certains verbes comme *payer* ou *essayer* acceptent les deux formes :
  je paierai / payerai, j'essaierai / j'essayerai

À QUOI ÇA SERT ?

- À donner des ordres, parfois des conseils.

- À faire des promesses, des prévisions.

- À exprimer des conséquences dans le futur.

- À parler de l'avenir.

1 Conjuguez les verbes suivants au futur simple.

1) Nous ... (voyager) de nuit.
2) Le bus ... (arriver) tôt dans la matinée.
3) Tu ... (mettre) des vêtements de pluie pour aller en Bretagne.
4) Ils ... (prendre) le TGV.
5) Vous ... (dormir) dans la chambre qui donne sur la cour.
6) Je ... (manger) avant de partir.
7) On ... (partir) de bonne heure.
8) Elles ... (réserver) leurs billets.

2 Ces phrases contiennent des futurs irréguliers. Quel est leur infinitif ?

1) La semaine prochaine, on sera en vacances.
2) Pierre aura 18 ans le 3 avril.
3) Nous irons à Nantes en avion.
4) Vous viendrez me voir à Londres ?
5) Cet été, ils feront une croisière en Méditerranée.
6) Tu verras, c'est très facile !
7) Je ne pourrai pas vous rendre les corrections aujourd'hui.
8) On devra partir assez tôt pour arriver à l'heure.
9) Je suis sûr qu'elles ne voudront pas le faire.
10) Il faudra acheter de la farine pour les crêpes.
11) Elle m'enverra une carte de Paris.

3 **Mettez au futur simple les verbes entre parenthèses.**

1) Nous ... (organiser) une fête la semaine prochaine, tu ... (pouvoir) m'aider ? J'... (envoyer) les invitations et tu ... (faire) les courses ? D'accord ?
2) Samedi, elles ... (se promener) le matin et elles ... (aller) à la piscine l'après-midi.
3) Si vous téléphonez à la SNCF, on vous ... (donner) les heures de train et le prix des billets.
4) Nous ... (manger) de bonne heure, je vous ... (appeler) et on ... (partir) immédiatement. Comme ça, on ... (être) à Lyon avant la nuit.

Les pronoms relatifs *qui, que, où*

Observez ces phrases.
Il y a Nicolas qui a téléphoné ce matin.
...un parc qu'on ne voit pas d'ici.
...un wagon où il n'y avait presque personne.

LES PRONOMS RELATIFS REMPLACENT :

- un nom ou un groupe nominal :
  Il a pris le train. Ce train arrive à 20 h.
  ➛ *Il a pris le train **qui** arrive à 20 h.*

À QUOI ÇA SERT ?

- À unir des phrases en évitant des répétitions :
  J'achète des billets d'avion. Ces billets d'avion sont bon marché.
  ➛ *J'achète des billets d'avion qui sont bon marché.*
- À apporter des compléments d'information sur le nom qu'ils remplacent :
  La voiture que tu vois là-bas est à moi.

Attention à l'orthographe !
que + voyelle = *qu'* mais *qui* + voyelle = *qui* :
L'hôtel qu'ils ont réservé est très bien.
L'hôtel qui est dans cette rue est cher.

LE CHOIX DU PRONOM RELATIF
dépend de sa fonction dans la subordonnée qu'il introduit. Il peut être :

- sujet :
  *C'est une chambre **qui** donne sur le parc.*
  *(La **chambre** donne sur le parc).*
- complément d'objet direct :
  *...un parc **qu'**on ne voit pas d'ici. (On ne voit pas **le parc** d'ici).*
- complément circonstanciel de lieu ou de temps :
  *On était dans un wagon **où** il n'y avait presque personne. (Il n'y avait presque personne **dans le wagon**).*
  *Le jour **où** nous sommes arrivés, il a plu. (Nous sommes arrivés **le 10 juin**).*

Attention ! En français le choix du pronom *qui* ou *que* ne dépend pas de la catégorie animée ou inanimée du substantif :
*Le livre **qui** est sur la table est à moi.*
*Le livre **que** j'achète n'est pas cher.*
*La fille **qui** est sur cette photo est ma cousine.*
*La fille **que** tu vois là est ma cousine.*

4 **Complétez les phrases suivantes avec le pronom *que* ou *qui*.**

1) Gérard est l'ami ... m'a offert ce livre.
2) Vous avez aimé le dîner ... mon père a préparé ?
3) La pièce de théâtre ... je viens de voir est très intéressante.
4) Le bébé ... vient de naître pèse 3,500 kg.
5) Passe-moi les ciseaux ... sont sur la table.
6) Je viendrai chercher le parapluie ... j'ai oublié chez toi.
7) Voici le livre ... j'ai lu dernièrement.
8) C'est le pompiste ... m'a dépanné.

5 **Faites une seule phrase en utilisant le pronom *où*.**

1) Je lui ai montré un village. Je suis né dans ce village.
2) Tu viendras me chercher au bureau ? Je travaille dans ce bureau.
3) On a rendez-vous au *Café de la Paix*. Lundi, nous avons déjeuné au *Café de la Paix*.
4) Je l'ai connu un jour. Ce jour-là il a fait très chaud.
5) Ils dînent dans un restaurant. Ils se sont rencontrés dans ce restaurant.

En voyage...

À l'hôtel

HÔTEL BRISTOL 3 ***
au centre-ville avec parking gratuit
TARIF DES CHAMBRES
Chambre avec douche 1 personne = 38 €
Chambre avec douche 2 personnes = 55 €
Chambre avec salle de bains 1 personne = 56 €
Chambre avec salle de bains 2 personnes = 61 €
Chambre 2 lits pour 3 personnes = 69 €
Chambre 2 lits pour 4 personnes = 75 €

Petit déjeuner (buffet) = 7,5 €
(service en chambre gratuit)

CARTE 12-25

• **La carte 12-25** est une offre destinée aux jeunes **de 12 à 25 ans.**
Elle permet de bénéficier de **prix réduits** sur un nombre de trajets illimités pendant 1 an.
Elle offre deux possibilités de réduction :
50 % dans certains cas
➛ dans les TGV (sauf TGV de nuit) et places couchettes des trains Grandes Lignes autres que TGV, dans la limite des places disponibles pour ce tarif.
➛ pour les places assises des trains Grandes Lignes autres que TGV, voitures-lits et les TER : pour les trajets commencés en période bleue de la semaine type.

Et une réduction de 25 % garantis
➛ dans les TGV (sauf TGV de nuit) et places couchettes des trains Grandes Lignes autres que TGV, même en période de pointe, lorsqu'il ne reste plus de places à 50 %.

1 Quel type d'hébergement préférez-vous : l'hôtel, la pension, une chambre chez l'habitant ou le camping ?

2 Réservez-vous généralement à l'avance votre chambre d'hôtel ? Quelle formule préférez-vous : la chambre pour la nuit, la demi-pension ou la pension complète ? Pourquoi ?

3 Et pour voyager, prenez-vous souvent le train ? Bénéficiez-vous, vous ou des membres de votre famille, de prix réduits ? Si oui, pourquoi ? Quelles sont les conditions ?

LP [s] / [ʃ] / [ʒ] / [z]

1 Écoutez les mots enregistrés et classez-les par d'ordre d'apparition.

1)	2)	3)	4)	5)
a) joue	a) assez	a) casse	a) douche	a) Achille
b) chou	b) haché	b) cage	b) douze	b) agile
c) sous	c) âgé	c) cache	c) douce	c) asile

2 Écoutez et répétez.

Des musées scientifiques et des parcs thématiques pour tout savoir sur l'homme et son environnement...

Depuis la nuit des temps, l'homme désire savoir qui il est, d'où il vient, où il vit et où il va. Il cherche à voyager dans le temps autant que dans l'espace. Si vous ressentez, vous aussi, ce besoin de savoir, voici quelques adresses...

Le site préhistorique de Tautavel

Il se trouve en France, dans les Corbières, là où, il y a 450 000 ans, "l'homme de Tautavel", l'un des plus vieux du monde, vivait en société... Actuellement, le musée de Tautavel offre des collections préhistoriques et paléontologiques fondamentales pour connaître nos premiers ancêtres.

Le Biodôme

Ouvert en 1992 au coeur de Montréal, au Québec, il recrée la faune et la flore de certains des plus beaux écosystèmes des Amériques : la forêt tropicale, la forêt laurentienne, le Saint-Laurent marin et le monde polaire de l'Arctique et de l'Antarctique. Il offre aussi des expositions, des films et des animations sur l'histoire de la Terre et sur l'adaptation des êtres vivants à leur environnement.

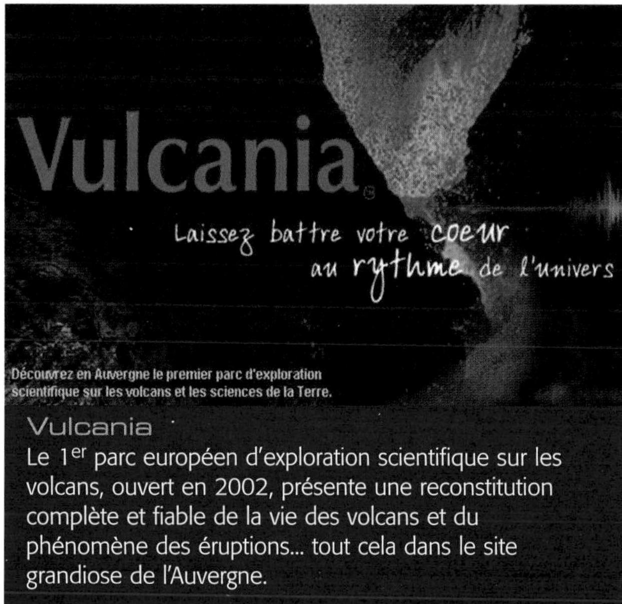

Vulcania

Le 1er parc européen d'exploration scientifique sur les volcans, ouvert en 2002, présente une reconstitution complète et fiable de la vie des volcans et du phénomène des éruptions... tout cela dans le site grandiose de l'Auvergne.

La Cité des Sciences et de l'Industrie de la Villette

Un des grands centres de vulgarisation scientifique et technologique d'Europe. Créée en 1986 à Paris, la Cité des Sciences traite à travers des expositions, des jeux interactifs et des maquettes, de l'évolution et des enjeux des sciences et de la technologie. Vous parlerez robotique, androïdes...

1 Avez-vous visité l'un de ces endroits ou pensez-vous le faire dans un futur proche ?

2 Y a-t-il dans votre pays des endroits de ce type à visiter ?

3 Que pensez-vous des parcs thématiques qui reconstituent le passé et / ou simulent le futur ? Pourquoi ?

expressions pour...

Retrouvez dans la leçon les expressions pour :

- Parler de projets.
- Faire une réservation.
- Demander des services dans une station-essence.
- Demander des renseignements dans un hôtel, une gare.
- Donner / Demander les caractéristiques d'une chambre d'hôtel.

Réfléchissons !
Comment procédez-vous quand vous préparez une situation ?

- Je pense au personnage que je vais jouer, je lui attribue un âge, une personnalité et des caractéristiques particulières.
- Je pense au(x) personnage(s) qu'interprète(nt) mon ou mes interlocuteur(s) et j'adapte mes interventions en fonction de leurs caractéristiques et des réponses qu'il(s) donne(nt).
- Je tiens compte des normes de langage à respecter : vouvoyer ou tutoyer, comment poser des questions, les mots à utiliser et à ne pas utiliser...
- Je pense au début et à la fin qui correspondent à ce type de situation.
- Je prépare mes phrases pour les utiliser au moment de la représentation.

Commentez vos réponses avec le groupe-classe.

1 Une chambre d'hôtel.

Par groupes de 2, jouez la scène.
Chloé appelle dans un hôtel pour réserver une chambre pour deux nuits, pour deux adultes et un enfant.

2 Un billet pour Toulouse.

Par groupes de 2, jouez la scène.
Julien est à Tarbes. Il téléphone à la gare pour acheter un billet pour Toulouse où il a un rendez-vous à 14 h.
Voici les horaires de la SNCF.

numéro de train		72704	8592	72706	72706	72706	72724	72724	4140	67733/2	67733/2	67746	72728	14178	4170	72728	72728	4142	4144	72880	414
notes à consulter		*1*	*2*	*3*	*4*	*5*	*6*	*7*		*8*	*9*	*10*	*11*	*12*	*13*	*14*	*15*	*16*	*17*	*18*	*19*
Irun	Dep																				
St-Jean-de-Luz-Ciboure	Dep								**06.26**									08.46	08.46		08.4
Biarritz	Dep								**06.38**									08.58	08.58		08.5
Bayonne	Dep						05.47		**07.06**									09.31	09.50		09.5
Orthez	Dep		05.12				06.33		**07.52**	08.23	08.23	08.35		09.00	09.00						
Pau	Dep		05.36	06.00			07.02	07.02	**08.16**	08.49	08.49	09.04		09.27	09.27			10.34	10.53		10.5
Lourdes	Dep	05.50	06.03	06.29	06.29		07.32	07.32	**08.45**	09.18	09.18	09.33		09.57	09.57			11.00	11.23		11.2
Tarbes	Dep	06.07	06.21	06.50	06.50	06.50	07.50	07.50	**09.06**	09.47	09.35	09.50	10.08	10.15	10.15	10.29	10.41	11.20	11.39		11.5
Tournay (Htes-Pyrénées)	Dep			07.02	07.02	07.02	08.04	08.04													
Capvern	Dep						08.22	08.22													
Lannemezan	Dep	06.32		07.16	07.16	07.16	08.29	08.29	**09.30**				10.41			10.53	11.04				
Montréjeau-Gourdan-Pol.	Dep	06.44		07.27	07.27	07.27	08.42	08.42	**09.43**				10.53			11.05	11.16			12.08	
St-Gaudens	Dep	06.53		07.37	07.37	07.37	08.52	08.52	**09.54**				11.03			11.15	11.25			12.19	
Boussens	Dep	07.08		07.50	07.50	07.50	09.07	09.07	**10.10**				11.18			11.34	11.40			12.32	
Toulouse-Matabiau	Arr	07.57		08.42	08.42	08.42	09.59	09.59	**10.43**				11.55			12.15	12.15	12.45	13.01	13.20	13.3

- Bar
- Vente ambulante
- voir guide train + vélo
- Place(s) handicapés
- Distribution automatique de boissons

Trains circulant tous les jours (fond coloré)

Réservation obligatoire
Service nuit
TGV de nuit, réservation obligatoire

JOURS DE CIRCULATION ET SERVICES DISPONIBLES

1. tous les jours sauf les sam, dim et fêtes.
2. les lun et le 12 nov- Ne prend pas de voyageurs de Orthez à Lourdes le 11 nov.
3. jusqu'au 5 juil : tous les jours sauf les sam et dim ; du 7 juil au 6 sept : tous les jours ; à partir du 9 sept : tous les jours sauf les sam, dim et fêtes.
4. les 16, 23 et 30 juin ; à partir du 8 sept : les dim et fêtes.
5. les 22, 29 juin et 6 juil ; à partir du 7 sept : les sam.

3 Imaginez comment les personnages suivants ont passé le week-end dernier et vont passer le prochain. Choisissez une des trois propositions.

1) Deux jeunes amoureux qui n'ont pas beaucoup d'argent.
2) Un millionnaire qui habite dans une grande ville.
3) Un play-boy.

Donnez le maximum d'informations possible. Enregistrez votre conversation, puis évaluez-vous à partir de l'enregistrement. Accordez une attention particulière aux formes du passé composé et du futur que vous utilisez. Faites une liste des formes correctes et des formes incorrectes, et proposez une correction.

4 Un message sur le répondeur.

Écoutez le message que votre ami(e) a laissé sur votre répondeur. Vous lui téléphonez pour accepter ou refuser son invitation, mais vous tombez sur le répondeur, vous aussi. Laissez votre message.

5 Encore un répondeur.

Vous avez un rendez-vous dans une entreprise, ALCAPEL. Vous téléphonez pour prévenir que vous arriverez en retard. Vous tombez sur le répondeur. Laissez votre message et un numéro de contact.

6 Votre moyen de transport préféré.

Vous improvisez une courte intervention sur le sujet. Précisez le moyen que vous utilisez pour vos différents déplacements et donnez vos raisons.

Rappelez-vous les réflexions que vous avez faites, leçon 10, pour l'improvisation d'une situation. Elles sont valables pour un monologue. Parlez-en par petits groupes.

7 Un logement pour les vacances.

Improvisez un court monologue où vous expliquerez le type de logement que vous préférez pour vos vacances et les raisons de ce choix.

Lire

La robotique au quotidien

La réalité s'est mise à ressembler à la science-fiction... et les robots font de plus en plus partie de notre vie. Mais la cohabitation ne fait que commencer : les chercheurs cherchent, dans toutes les directions, et ils progressent. Jusqu'où iront-ils ? Faut-il s'en réjouir ?

Les robots domestiques

Très bientôt, des robots commandés par la voix humaine mettront de l'ordre dans notre salon, fermeront et ouvriront les portes de la maison, en éteindront ou allumeront les lumières, etc. Une génération de capteurs, à la fois biologiques et artificiels est sur le point de voir le jour : des robots avec un œil de mouche ou un nez de fourmi qui détecteront beaucoup mieux que les organes humains les objets ou les personnes.
Ces futurs insectoïdes seront moins « intelligents » que les androïdes que nous rencontrons dans les films. Mais moinsémotifs aussi et donc plus efficaces : qui voudrait d'un robot-ouvrier peureux ou paresseux ?

Les « animats »

Tous les robots ne sont pas « utiles », et c'est bien là une preuve de la diversification de la recherche en matière de robotique.
En effet, les animats, animaux artificiels financés au départ par l'armée, sont en train de se convertir en « animaux » de compagnie. Le but pour l'instant : avoir avec eux des dialogues proches de ceux que l'on a avec des enfants de quatre ans.
Vous connaissez le célèbre chien Aibo. Eh bien, il a déjà plusieurs descendants capables de reconnaître la voix de leur « maître » et de jouer avec lui. Mieux encore, ils s'adaptent à son caractère : tranquilles avec une personne âgée, dynamiques avec un jeune enfant... Des robots interactifs qui apprennent en fonction de l'entourage. Intelligents ? non, mais...

Les automates programmables

C'est l'axe principal de la recherche européenne : des automates, véritables esclaves, exécutent depuis longtemps une partie du travail à la chaîne dans l'industrie et sont aussi utilisés dans les endroits dangereux pour l'homme, comme les usines chimiques, les centrales nucléaires ou les champs de mines...
Leur avenir ? On peut imaginer que les industriels et l'armée continueront d'investir dans la création de ces robots de plus en plus performants et sophistiqués.

« Le futur en action », mai 2003

1 Commentez le titre *La robotique au quotidien*. Vous semble-t-il bien choisi ou non ? Pourquoi ? Dans quelle mesure le « quotidien » évoqué par les textes est-il présent ou futur ? Trouvez d'autres titres possibles.

2 Débat : que pensez-vous des informations apportées dans ce texte ? Connaissez-vous d'autres secteurs où la robotique apportera des modifications fondamentales ?

1 Selon vous, avec quoi rimera le futur ? Voyez-vous cet avenir avec optimisme ?

2 Écoutez, puis à votre tour écrivez une strophe qui parle de votre future vie quotidienne : *Demain, comme d'habitude...*

Comme d'habitude

Je me lève et je te bouscule
Tu ne te réveilles pas comme d'habitude
Sur toi je remonte le drap
J'ai peur que tu aies froid comme d'habitude
Ma main caresse tes cheveux
Presque malgré moi comme d'habitude
Mais toi tu me tournes le dos
Comme d'habitude

Alors je m'habille très vite
Je sors de la chambre comme d'habitude
Tout seul je bois mon café
Je suis en retard comme d'habitude
Sans bruit je quitte la maison
Tout est gris dehors comme d'habitude
J'ai froid, je relève mon col
Comme d'habitude

Comme d'habitude, toute la journée
Je vais jouer à faire semblant
Comme d'habitude je vais sourire
Comme d'habitude je vais même rire
Comme d'habitude, enfin je vais vivre
Comme d'habitude

Et puis le jour s'en ira
Moi je reviendrai comme d'habitude
Toi, tu seras sortie
Pas encore rentrée comme d'habitude
Tout seul j'irai me coucher
Dans ce grand lit froid comme d'habitude
Mes larmes, je les cacherai
Comme d'habitude

Comme d'habitude, même la nuit
Je vais jouer à faire semblant
Comme d'habitude tu rentreras
Comme d'habitude je t'attendrai
Comme d'habitude tu me souriras
Comme d'habitude

Comme d'habitude tu te déshabilleras
Comme d'habitude tu te coucheras
Comme d'habitude on s'embrassera
Comme d'habitude

Comme d'habitude on fera semblant
Comme d'habitude on fera l'amour
Comme d'habitude on fera semblant

Objectif : préparer un voyage ou des vacances dans un pays francophone

QUEL VACANCIER ÊTES-VOUS ?

1) Pour vous, le mot vacances rime avec...
- **a)** musées, monuments, histoire.
- **b)** palmiers et mers chaudes.
- **c)** plaines verdoyantes et rivières claires.

2) Les vacances arrivent, vous allez en profiter pour...
- **a)** joindre l'utile à l'agréable, en prenant des cours de français dans une ville francophone que vous pourrez visiter tout à loisir.
- **b)** prendre votre sac à dos et partir à la découverte de nouvelles cultures.
- **c)** vous mettre au vert, respirer l'air pur, connecter avec la nature et découvrir votre lieu de destination à travers sa gastronomie.

3) Vous auriez aimé être...
- **a)** philosophe à la cour de Catherine II.
- **b)** pirate Antilles.
- **c)** trappeur dans le Grand Nord canadien.

4) Si vous gagnez au loto, vous achetez...
- **a)** un appartement à Paris.
- **b)** une ferme en Afrique.
- **c)** un gîte rural dans le Vaucluse.

5) Des vacances sur une île déserte vous donnent l'impression...
- **a)** d'être coupé de la civilisation.
- **b)** d'être un descendant de Robinson Crusoé.
- **c)** d'être loin de vos montagnes.

6) Quel est l'objet indispensable à mettre dans votre valise ?
- **a)** Le guide des monuments à visiter.
- **b)** La crème anti-moustiques.
- **c)** Les chaussures de randonnée.

7) Quel serait le métier de vos rêves ?
- **a)** Directeur / trice de musée.
- **b)** Organisateur / trice de safaris-photos.
- **c)** Directeur / trice d'un parc national.

Résultats :

Majorité de a : Les vacances sont pour vous un moyen supplémentaire et privilégié de parfaire votre culture et vos connaissances : stages de langues, visites de musées, expositions et monuments. Vous êtes un globe-trotter des villes.

Majorité de b : Vous, vous ne concevez les vacances que par le dépaysement culturel. L'exotisme vous attire, que ce soit les plages de sable fin ou la forêt tropicale.

Majorité de c : Vous êtes avant tout un(e) amoureux(se) du calme et de la nature. Pour vous, rien de mieux que les promenades en montagne ou à travers la campagne. Et de vous laisser séduire par les petits villages et les bons plats locaux !

1 **Débattez ensemble : êtes-vous d'accord avec le profil de vacancier / voyageur que vous avez obtenu ?**

2 Avec qui allez-vous partir ? À partir des résultats du test, formez des petits groupes homogènes et commencez à organiser votre voyage. Choisissez votre destination parmi les propositions suivantes, en fonction du profil du groupe.

Destination...

PARIS

La tour Eiffel

Symbole de la capitale, c'est l'un des monuments les plus célèbres et les plus visités du monde.

Gustave Eiffel commence à la construire en 1887 à l'occasion de l'Exposition universelle de 1889.
Haute de 300 m, elle pèse 7000 tonnes et se compose de poutrelles métalliques enchevêtrées.
Très contestée à ses débuts, elle fut la construction la plus haute du monde jusqu'à la construction de l'Empire State Building en 1931.

Situation
Au pied de la tour Eiffel s'étend le Champ-de-Mars et aux alentours se trouvent Les Invalides, le Trocadéro, le quartier de l'Alma et le faubourg Saint-Germain.

Comment s'y rendre
Métro Bir-Hakeim (ligne 6) ou Ecole Militaire (ligne 8) ; bus 42, 69, 72, 82 ; RER Champ-de-Mars-Tour Eiffel

Visite
Au premier étage, haut de 57 m, se trouve un petit musée, le cinémax, où l'on peut voir un court-métrage sur l'histoire du monument. Au deuxième étage, situé à 115 m du sol, se trouve le restaurant Jules Verne, qui associe à une cuisine de qualité, un panorama exceptionnel. Vous pouvez accéder au troisième étage, en ascenseur, pour vous trouver à 276 m de hauteur et profiter, par beau temps, d'une vue impressionnante, puisqu'il est possible de distinguer la cathédrale de Chartres située à 75 km !

Pour les courageux
Pour accéder au sommet, les escaliers (1652 marches) sont un moyen unique pour découvrir l'architecture de la Tour ainsi que la vue qui se dévoile progressivement. L'ascension à pied n'est possible que jusqu'au deuxième étage. Mais attention aux crampes et au vertige !

6

AVENUE DES CHAMPS ÉLYSÉES

MOPTI

On la surnomme, au choix, la Venise malienne (comme Djenné) ou la Ville du poisson. Elle est construite sur trois îles reliées par des digues. C'est à la fois un centre commercial important et un carrefour ethnique : pêcheurs bozos, pasteurs peuls, dogons, bambaras, toucouleurs... C'est le point de départ vers les deux points forts d'un voyage au Mali : Djenné et le Pays dogon.
Mopti est au confluent du Bani et du Niger (près du Sofitel Kanaga). On dit que les eaux de ces deux fleuves, mélangées dans une même bouteille, la feraient exploser. À la saison des pluies, grande activité fluviale.
Malgré des installations électriques apparentes, la ville de Mopti est très souvent sans électricité (ne pas oublier sa lampe de poche).
Allez immédiatement vous faire enregistrer à la police, située tout de suite après le campement et la station pour Mopti, avec une photo (sinon, racket par un cousin...)

Où dormir ?

La situation est encore pire qu'à Bamako : quasiment pas de possibilité de logement acceptable ! Préférer l'hébergement à *Sévaré* (voir plus loin).

◆ ***Campement-hôtel :*** seul hôtel correct à Mopti. Central, pas loin de la gare routière et du port. Architecture évoquant le style soudanais. Chambres assez vastes et à la propreté inégale. Moustiquaires et, pour certaines, air conditionné. Grande salle à manger pour une cuisine correcte et pas mal de choix. Possibilité de camper. Ne pas se laisser recruter par les « guides » à l'affût des touristes devant l'hôtel.

Où manger ?

◆ ***Bar Bozo :*** situé au bout du port. Ouvert sans interruption de 8 h à 1 h (en principe !). L'endroit le plus génial pour manger ou boire un verre, surtout au coucher du soleil. À vos pieds, le Bani (affluent du Niger) avec des dizaines de pirogues attendant leur chargement. Animation exceptionnelle. Nourriture pas vraiment bon marché, pas très variée (poulet et capitaine) mais très correcte. Le riz gras vaut le coup : copieux, avec légumes et poisson.

◆ ***Siguí (chez David) :*** ouvert midi et soir jusqu'à minuit. Lors de notre passage, le meilleur resto de la ville. Le chef (David) est l'ancient cuistot de *Nuits de Chine*. Cuisine soignée.

◆ ***Le Régal :*** en face de *Nuits de Chine*. Petit resto franco-africain tenu par une femme sympa. Cadre sommaire. Carte limitée, mais le moins cher de tous. Super riz sauce.

À voir. À faire

◆ ***Le marché de l'artisanat :*** en plein centre-ville, à côté du château d'eau. Grand choix de bijoux provenant aussi bien des villages peuls que dogons ou songhaïs. Un tas de tissus, des boubous et de très jolies couvertures. Chèches et sandales touarègues et encore beaucoup d'autres choses. Constamment animé, tout particulièrement le jeudi.

◆ ***La fabrique de pirogues :*** juste derrière le Bar Bozo. Ces énormes pirogues, très effilées, sont fabriquées en bois de Kalisedra, importé principalement de Côte-d'Ivoire et du Sénegal. Elles sont constituées de planches attachées entre elles d'une façon très archaïque.

◆ ***La mosquée :*** à l'entrée de la vieille ville. Toute récente et imposante. Entrée interdite aux infidèles.

◆ ***Le marché :*** fabuleux, l'autre must de Djenné. Il faut être à Djenné le lundi : venir tôt le matin pour assister à l'arrivée des paysans sur les berges, avec les lavandières et les bergers peuls. Grand marché très coloré qui rassemble des commerçants de toute la région.

Le Guide du Routard, Afrique Noire, directeur de collection : Philippe Gloaguen, auteurs : collectif © Hachette-Livre.

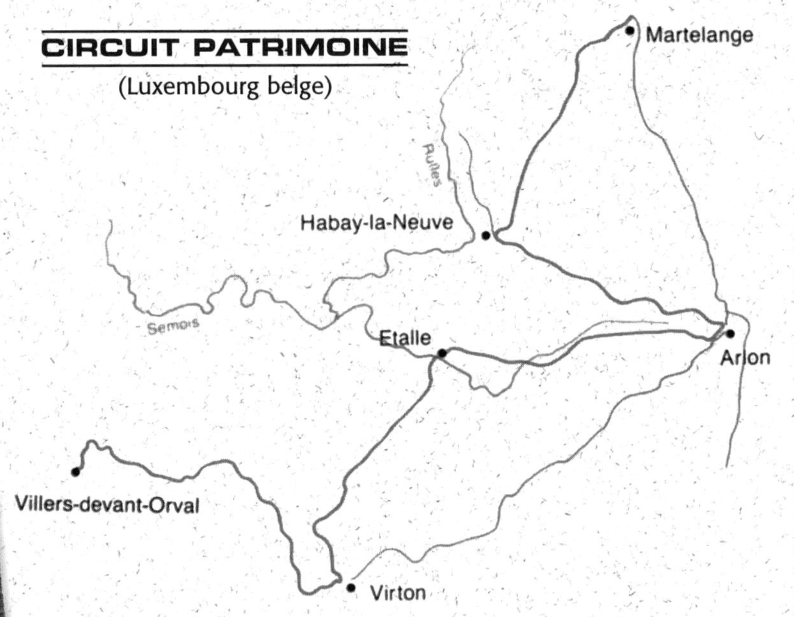

Le périple que nous vous proposons vous emmène à la découverte de la Gaume et de la Lorraine belge, aussi dénommée « Petite Provence » et de quelques sites remarquables du Grand-Duché de Luxembourg.

C'est à Villers-devant-Orval que débute votre balade. Cette localité offre aux touristes de nombreuses promenades ainsi que la visite de l'abbaye médiévale d'Orval, de son musée monastique et pharmaceutique et du jardin des plantes. Vous poursuivez ensuite vers Virton, capitale de la Gaume, qui s'est développée à partir d'une bourgade romaine. Ces vestiges sont à découvrir au musée gaumais qui compte des collections prestigieuses. N'oubliez pas de déguster le zigomar, spécialité locale. À quelques kilomètres de Virton, le village de Montquintin mérite un réel détour.

Là est reconstitué un musée de la vie paysanne dans un bâtiment du XVIIIe siècle. Vous rejoindrez Arlon par le circuit (50 km) des sites gallo-romains, en passant par Saint-Mard, Robelmont (Château des Sarrazins), Croix-Rouge, Huombois, Villers-sur-Semois, Étalle, Montauban (musée et parc archéologique). Arlon, chef-lieu de la province de Luxembourg, important centre commercial et administratif, est aussi la plus vieille ville de Belgique. Elle possède un musée (Musée Luxembourgeois) de réputation internationale qui abrite la collection lapidaire gallo-romaine la plus importante au nord des Alpes.

3 Recherchez des informations complémentaires sur la destination que vous avez choisie, sur le Net, dans des guides de voyage ou des brochures...

4 Maintenant, choisissez votre formule de voyage : ferez-vous un voyage organisé ? Allez-vous louer une maison ? Réserverez-vous à l'avance ou bien sur place ? Partirez-vous avec votre sac à dos et une tente comme un routard ? Tout est possible ! Voici quelques brochures pour vous aider...

5 Dites quelles sont les formules de voyage qui vous conviennent le mieux. Justifiez vos choix.

LES BROCHURES

DESTINATIONS PASSION
LA BROCHURE DES CIRCUITS ET DES CROISIERES

SEJOURS COULEURS
LA BROCHURE DES HOTELS, HOTELS-CLUB ET DE LA PLONGEE

PLAISIRS A LA CARTE
LA BROCHURE DES VOYAGES A LA CARTE

LE CENTRE DE FORMATION LINGUISTIQUE
LA BROCHURE DES COURS DE LANGUES A PARIS

ITALIE ET SICILE
LA BROCHURE DE TOUTES LES FORMULES DE VOYAGES ITALIENS

LA NEIGE
LA BROCHURE DES SEJOURS ET DES SPORTS D'HIVER

GROUPES
LA BROCHURE DES VOYAGES EN GROUPES CONSTITUES

NOUVELLES FRONTIERES INCENTIVES
LA BROCHURE DES SEMINAIRES, CONGRES ET INCENTIVES

VOLS DECOUVERTE
LA BROCHURE DES VOLS REGULIERS ET DES CHARTERS

SEJOURS LINGUISTIQUES
LA BROCHURE DES STAGES DE LANGUES A L'ETRANGER

NOUVELLES FRONTIERES AFFAIRES
LA BROCHURE DES VOYAGES D'AFFAIRES

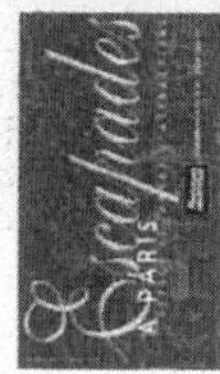

ESCAPADES A PARIS
LA BROCHURE DES HOTELS ET DES PARCS D'ATTRACTIONS

POUR RECEVOIR GRATUITEMENT NOS BROCHURES PAR CORRESPONDANCE, COCHEZ LES CASES DE VOTRE CHOIX, DETACHEZ CE COUPON APRES Y AVOIR INSCRIT VOS COORDONNEES, AFFRANCHISSEZ-LE ET ENVOYEZ-LE A L'ADRESSE INDIQUEE, LES BROCHURES VOUS PARVIENDRONT DANS UN DELAI DE 10 JOURS. VOUS POUVEZ AUSSI VOUS LES PROCURER DANS TOUTES NOS AGENCES OU EN TAPANT 3615 NF (1,29 F LA MINUTE).

- ☐ DESTINATIONS PASSION
- ☐ SEJOURS COULEURS
- ☐ PLAISIRS A LA CARTE
- ☐ LE CENTRE DE FORMATION LINGUISTIQUE
- ☐ ITALIE ET SICILE
- ☐ LA NEIGE
- ☐ GROUPES
- ☐ NOUVELLES FRONTIERES INCENTIVES
- ☐ VOLS DECOUVERTE
- ☐ SEJOURS LINGUISTIQUES
- ☐ NOUVELLES FRONTIERES AFFAIRES
- ☐ ESCAPADES A PARIS

NOM ____________ PRENOM ____________

ADRESSE ____________

CODE POSTAL ____________ VILLE ____________

Un peu d'organisation

6 Comment d'autres personnes préparent-elles leur voyage ? Écoutez Olivia, Amélie et Raphaël organiser leurs vacances au Vietnam.

7 Réécoutez attentivement chaque situation pour repérer les formulations qui vous seront utiles.

1) Pour demander et donner des informations.
2) Pour donner une explication.
3) Pour demander et donner des conseils, déconseiller.
4) Pour exprimer ses goûts, ses préférences, ses envies.
5) Pour exprimer l'obligation.
6) Pour proposer son aide.
7) Pour remercier.

8 Vous avez choisi votre destination et la formule de voyage que vous préférez. Mais vous devez maintenant vous mettre d'accord sur les points suivants.

1) La date et la durée de votre séjour.
2) Le(s) moyen(s) de transport que vous allez utiliser.
3) L'itinéraire que vous allez suivre.
4) Le(s) type(s) de logements que vous allez rechercher.

9 Organisez-vous pour rechercher les informations qui vous manquent afin de concrétiser votre projet de voyage.

10 Vous avez toutes les informations nécessaires, maintenant vous devez prendre des décisions. Négociez à l'intérieur du groupe et n'oubliez pas d'utiliser les formules employées dans la situation précédente.

11 N'oubliez pas de vous renseigner sur les formalités nécessaires pour votre voyage. Relisez, si besoin est, le texte de la page 82.

12 Confirmez votre réservation : voici un modèle que vous pouvez utiliser.

Mme Guadalupe Alegre
C/ Pinar, 8
10700 Cáceres

Hôtel “La Belle Étoile”
23, rue du Sac-à-Dos
33120 Vacances-sur-mer

Monsieur,
Je vous envoie cette lettre pour confirmer notre réservation d'une chambre double avec salle de bains pour deux nuits. Nous arriverons le 13 juillet dans l'après-midi et nous partirons le 15. Nous voyageons avec notre fils de 4 ans, prévoyez un lit d'enfant dans la même chambre.
Recevez, Monsieur, nos sincères salutations.

Guadalupe Alegre

13 Qu'allez-vous mettre dans votre valise ? Voici quelques suggestions...

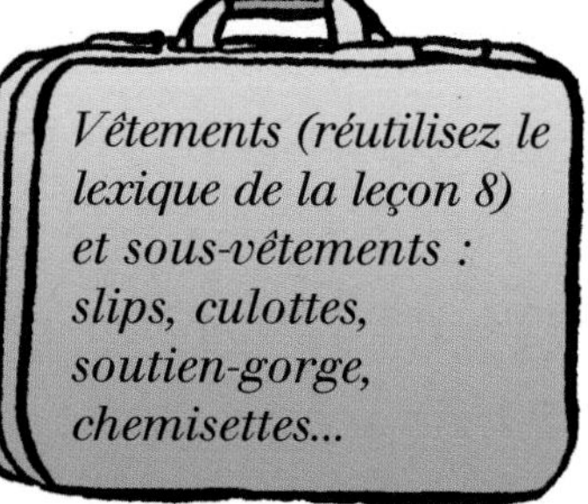

Trousse à pharmacie : boîte d'aspirine, alcool, pansements, ciseaux, désinfectant...

Objets divers : sac de couchage, trousse de couture, boussole, lampe de poche, couteau, appareil photo et pellicules, papier à lettres et enveloppes, ouvre-boîtes et décapsuleur, lunettes de soleil, gourde, allumettes, dictionnaire, parapluie, sac plastique, réveil, calculatrice...

Connaissez-vous le jeu de la valise ? Mettez-vous par groupes de 5 ou 6 personnes et exercez votre mémoire :
Le premier propose : *–Dans ma valise je mets un parapluie pliable.*
Le deuxième répète et ajoute un élément : *–Dans ma valise je mets un parapluie pliable et un chapeau.*

À vous de continuer !

Pause détente !

Destination francophone.

Cinq voyageurs viennent d'arriver dans un pays francophone pour y passer leurs vacances. Chaque voyageur va utiliser un moyen de transport et un type d'hébergement différents. Dans quel pays est Cédric ? En Guyane, en Nouvelle-Calédonie, au Québec, à Saint-Pierre-et-Miquelon ou au Mali ? Il se déplace à pied, en bus, à cheval, en bateau ou en jeep ? Et où dort-il ? Chez l'habitant, sous une tente, dans une cabine, dans une case, dans une maison en bois ?
Et Amande ? Et Sylvain ? Et Barbara ? Et Arthur ?

Voici les pistes.

1) Amande n'est pas au Mali. Elle dort dans une maison en bois.
2) Sylvain se déplace à pied, il n'est pas à Saint-Pierre-et-Miquelon.
3) Cédric ne dort pas dans une case et il se déplace à cheval.
4) Le voyageur qui est à Saint-Pierre-et-Miquelon se déplace en bateau mais il ne dort pas chez l'habitant.
5) Arthur n'est ni au Mali, ni au Québec mais il dort dans une cabine.
6) La personne qui est en Guyane circule en bus.
7) La femme qui ne dort pas dans une maison en bois est au Mali.
8) La personne qui se déplace à cheval n'est pas en Nouvelle-Calédonie et ne dort pas chez l'habitant.
9) La personne qui se déplace en bus est à côté de celle qui dort chez l'habitant.
10) Arthur ne se déplace pas en bus.

		Amande	Sylvain	Cédric	Arthur	Barbara
Pays	Au Québec					
	En Nouvelle-Calédonie					
	Au Mali					
	À Saint-Pierre-et-Miquelon					
	En Guyane					
Transport	En bateau					
	En bus					
	À cheval					
	En jeep					
	À pied					
Logement	Dans une case					
	Dans une cabine					
	Sous la tente					
	Dans une maison en bois					
	Chez l'habitant					

En route !

14 **Partagez vos projets de vacances avec toute la classe. Présentez-les en groupe ou individuellement. Vous pouvez utiliser le schéma suivant :**

- destination
- dates et durée
- formule de voyage (moyen de transport, logement...)
- itinéraire et activités prévus

Conseils : N'oubliez pas de justifier vos choix et de donner le maximum d'informations. Peut-être y a-t-il d'autres fanas de votre projet !

Et une chanson pour la route !

Photos de voyages

Paroles et Musique de Francis Cabrel

Comme l'enfant des îles
Avec rien sur la peau
Qui regarde tranquille
Croiser les paquebots
Tu descends tu t'approches
T'as l'argent dans les poches
Tu le prends en photo
Au retour du voyage
Dans les coins du salon
Tu revois son visage
Sur des bouts de carton
Dans des boîtes à chaussures
Au milieu des factures
Et des billets d'avions
Toi t'as l'argent, lui le soleil
Il a tout son temps toi t'as ton appareil
Tu ramènes des images
Des photos de voyages
Tu crois que t'es heureux pareil

Toi t'as tes repas d'affaires
Et tes nuits de travail
Il est assis par terre
Les cheveux jusqu'à la taille
Il répare la nasse
Pour les poissons qui passent
La barrière de corail

Toi t'as l'argent, lui le soleil
Il a tout son temps toi t'as ton appareil
Tu ramènes des images
Des photos de voyages
Tu crois que t'es heureux pareil

C'était à peine croyable
Ces insectes partout
Ces chambres pleines de sable
Ces femmes à peine debout
Dans le fond de ta ville
T'as remis ton manteau
Quelquefois ça descend
Quinze en dessous de zéro
Sur le bord de sa case
Que la chaleur écrase
Il boit le lait de coco

Toi t'as l'argent, lui le soleil
Il a tout son temps toi t'as ton appareil
Tu ramènes des images
Des photos de voyages
Tu crois que t'es heureux pareil

Comme l'enfant des îles
Avec rien sur la peau
Qui regarde tranquille
Croiser les paquebots
Comme l'enfant des îles
Avec rien sur la peau ...

GRAMMAIRE ET LEXIQUE

1 Choisissez l'option qui convient (a, b, c) pour compléter le texte.

Les vacances, pour nous ... (1) synonyme d'évasion et de ... (2), c'est l'aventure ! Aventure avec une majuscule ou petites aventures, comme l'été 98, quand nous sommes ... (3) en voiture au Portugal : à la frontière, mon mari a posé les ... (4) sur la voiture et nous avons continué. Quand je ... (5) ai demandé mon passeport, quelques kilomètres plus loin, ça a été la panique à bord. Mais nous ... (6) immédiatement retournés à la douane. Et nous avons eu ... (7) chance : un douanier avait tout retrouvé.
En général, nous n'emportons pas beaucoup de ... (8) pour nous sentir plus libres et nous ne préparons pas notre ... (9) à l'avance, nous décidons juste ensemble les régions ou les villes ... (10) nous avons envie de visiter. Quand nous arrivons quelque part, nous cherchons ... (11) un hôtel et je m'accorde toujours une heure pour m'installer et prendre une bonne ... (12) avant de commencer la balade ou les visites.
Mais cette année, nous visiterons ... (13) Mexique et nous ferons une exception : nous venons de faire une ... (14) pour le billet d'avion et pour une ... (15) pour les deux premières nuits dans un hôtel recommandé par un ami, à Mexico DF. De là, nous ... (16) à Tenochtitlán et dans tous les endroits ... (17) subsistent des vestiges de la culture aztèque. Parce que nous avons une passion commune, mon mari et moi, pour les civilisations anciennes et ... (18) histoire. Il y a deux ans, nous avons réalisé un de ... (19) rêves : aller en Égypte, nous ...(20) avons pris beaucoup de photos. Tout est impressionnant, les pyramides autant que le temple d'Abou Simbel ou la Vallée des Rois ! J'ai trouvé le voyage formidable !

1)	a) c'est	b) il est	c) est
2)	a) découverte	b) confort	c) tranquillité
3)	a) passés	b) arrivés	c) partis
4)	a) cartes routières	b) formalités	c) papiers
5)	a) leur	b) lui	c) l'
6)	a) avons	b) aurons	c) sommes
7)	a) la	b) de la	c) du
8)	a) paquets	b) bagages	c) appareils photo
9)	a) plan	b) chemin	c) itinéraire
10)	a) où	b) qui	c) que
11)	a) d'abord	b) premier	c) après
12)	a) crème solaire	b) bouteille	c) douche
13)	a) au	b) le	c) ---
14)	a) réservation	b) décision	c) entrée
15)	a) pension	b) cabine	c) chambre
16)	a) irons	b) allons aller	c) allons
17)	a) où	b) que	c) qui
18)	a) son	b) sa	c) leur
19)	a) ces	b) nos	c) notre
20)	a) ou	b) en	c) y

PRONONCIATION

2 Écoutez les séries suivantes et dites si vous entendez *a* ou *b*. Ensuite, exercez-vous à prononcer les deux.

1) a) Ce sont des feux. b) Ce sont des jeux.
2) a) Il l'a massé. b) Il l'a mâché.
3) a) Il y a du sang. b) Il y a du zan.
4) a) Ce sont des îles. b) Ce sont des cils.
5) a) Il est âgé. b) Il est taché.
6) a) C'est du poison. b) C'est du poisson.

U6 BILAN COMMUNICATION : PORTFOLIO, PAGE 19

1. La phrase simple

1.1 La phrase affirmative

sujet + verbe + complément(s) :

Sophie appelle ses amies tous les jours.
Elle écrit très souvent à ses parents.

sujet + verbe + attribut :

Elle semble toujours contente.
Elle est vraiment affectueuse.

1.2 La phrase négative (leçons 2 et 7)

TEMPS SIMPLES

ne / n' + verbe + pas / plus / personne / rien / jamais

Je ***ne*** *peux* ***pas*** *te répondre.*
Il ***ne*** *veut* ***plus*** *te voir.*
Tu ***ne*** *connais* ***personne*** *à Londres ?*
Silence ! ***Ne*** *dis* ***rien*** *!*
Je ***ne*** *me rappelle* ***jamais*** *son numéro de téléphone.*

TEMPS COMPOSÉS

ne / n' + auxiliaire + pas / plus / rien / jamais + p. p.

Mais : *Je* ***n'****ai vu* ***personne****.*
Infinitif : *Je te conseille de* ***ne pas*** *partir.*
Ne rien *écrire sur les murs.*

Tu ***n'****as* ***pas*** *pu l'avertir ?*
Il ***n'****a* ***plus*** *répondu à mes lettres.*
Je ***n'****ai* ***rien*** *mangé depuis ce matin.*
Ils ***ne*** *sont* ***jamais*** *allés en Normandie.*

1.3 La phrase interrogative (leçon 3)

L'interrogation directe

QUESTIONS TOTALES	
intonation montante	*Vous venez ?* (À l'écrit, point d'interrogation à la fin de la phrase.)
est-ce que ...	***Est-ce que*** *vous venez ?* (L'ordre pronom + verbe n'est pas modifié.)
inversion du sujet	*Venez-vous ?* (À l'écrit, trait d'union entre le verbe et le pronom.)

QUESTIONS PARTIELLES	
comment	*–Tu t'appelles* ***comment*** *? –Yann.*
où	*–****Où*** *est-ce que tu as mis le sel ? –Dans le placard.*
quand	*–Tu remettras ton dossier* ***quand*** *? –La semaine prochaine.*
combien (de / d')	*–****Combien*** *d'enfants vous avez ? –Trois.*
pourquoi	*–****Pourquoi*** *apprend-il le français ? –Parce qu'il aime les langues étrangères.*
quel(le)(s)	*–****Quel*** *jour sommes-nous ? –Samedi.*
qui	*–****Qui*** *aime les sports d'aventure ? –Surtout les jeunes.*
que (qu')	*–****Que*** *représente ce tableau ? –Un vase avec des fleurs.*
	*–****Qu'****est-ce que c'est ? –Je ne sais pas.*
	*–****Qu'****est-ce qu'il fait ? –Du vélo.*

2. Le groupe du nom

2.1 Les déterminants (leçons 1, 3, 4, 6 et 9)

Ils s'accordent en genre et en nombre avec le nom qu'ils précèdent.

a) Les articles définis (leçon 1)

	MASCULIN	FÉMININ
SINGULIER	le / l'	la / l'
PLURIEL	les	

Devant une voyelle ou un « *h* » muet, *le* et *la* deviennent *l'*. Attention à bien différencier la prononciation de *le* et *les*. Il ne faut pas oublier la liaison avec *les* si le mot qui suit commence par une voyelle ou un « *h* » muet.

b) Les articles indéfinis (leçon 1)

	MASCULIN	FÉMININ
SINGULIER	un	une
PLURIEL	des	

La forme du masculin singulier se prononce [œ̃] ; le « *n* » se prononce seulement si on fait la liaison avec le nom qui suit. Le son [e] est commun au pluriel *des* et à l'article défini *les*.

c) Les adjectifs démonstratifs (leçon 6)

	MASCULIN	FÉMININ
SINGULIER	ce / cet	cette
PLURIEL	ces	

La forme du masculin singulier *ce* devient *cet* si le mot qui suit commence par une voyelle ou un « *h* » muet :

__Cet__ hôtel est trop loin du centre-ville.

Il se prononce alors comme la forme du féminin.

d) Les articles partitifs (leçon 9)

	MASCULIN	FÉMININ
SINGULIER	du / de l'	de la / de l'
PLURIEL	des	
NÉGATION	pas de / d'	

Les formes *du* et *de la* deviennent *de l'* quand le mot qui suit commence par une voyelle ou un « *h* » muet :

Il boit __de l'__eau.

e) Les adjectifs possessifs (leçon 4)

Comme tous les autres déterminants, les adjectifs possessifs s'accordent avec le nom qui suit :

__Mon__ père est concierge et __ma__ mère institutrice.

	une chose possédée	plusieurs choses possédées
un possesseur	MASCULIN **mon - ton - son** FÉMININ **ma - ta - sa** **mon - ton - son***	**mes - tes - ses**
plusieurs possesseurs	**notre - votre - leur**	**nos - vos - leurs**

*On utilise *mon - ton - son* devant des noms féminins qui commencent par une voyelle ou un « *h* » muet :

C'est __mon__ université.

2.1 Les déterminants (suite)

f) Les adjectifs interrogatifs (leçon 3)

	MASCULIN	FÉMININ
SINGULIER	quel	quelle
PLURIEL	quels	quelles

Les quatre formes se prononcent de la même façon : [kɛl].

__Quel__ est ton écrivain préféré ?
Il est né en __quelle__ année ?
Tu as commandé __quels__ livres ?
__Quelles__ sont les nouvelles tendances ?

2.2 Le nom (leçon 3)

MASCULIN	FÉMININ	
professeur artiste	professeur artiste	Même nom pour le masculin et pour le féminin.
employé ami	employé**e** ami**e**	On ajoute un « e » au masculin pour former le féminin mais les deux se prononcent de la même façon.
avocat marchand	avocat**e** marchand**e**	On ajoute un « e » au masculin pour former le féminin. Les deux noms se prononcent différemment.
directeur danseur couturier	direct**rice** dans**euse** couturi**ère**	On utilise des suffixes différents pour le masculin et pour le féminin.
garçon homme	fille femme	On utilise deux mots différents.

SINGULIER	PLURIEL	
voiture quartier	voiture**s** quartier**s**	C'est le cas général : on ajoute un « s » au singulier et les deux noms se prononcent de la même façon. Attention à la prononciation du déterminant.
bureau feu	bureau**x** feu**x**	Le « x » sert à indiquer le pluriel mais les deux mots se prononcent de la même façon.
journal	journ**aux**	Les mots qui se terminent en *-al* [al] font leur pluriel en *-aux* [o].
mois	mois	Certains noms ne font pas de différence de nombre.

2.3 L'adjectif qualificatif (leçons 2 et 3)

MASCULIN	FÉMININ	
jeune célèbre	jeune célèbre	Même adjectif pour le masculin et pour le féminin.
cher connu fier	ch**ère** connu**e** fi**ère**	On ajoute un « e » au masculin pour former le féminin mais les deux se prononcent de la même façon.
intéressant grand français	intéressant**e** grand**e** français**e**	On ajoute un « e » au masculin pour former le féminin mais la prononciation change.
juif doux heureux blanc	jui**ve** dou**ce** heureu**se** blan**che**	Les terminaisons du masculin et du féminin varient, à l'oral et à l'écrit.
beau / bel nouveau / nouvel vieux / vieil	be**lle** nouve**lle** vie**ille**	Cas particuliers : attention !

SINGULIER	PLURIEL	
jeune cher juif	jeune**s** cher**s** juif**s**	Cas général : on ajoute un « s » au singulier et les deux adjectifs se prononcent de la même façon.
mauvais doux	mauvais doux	Certains adjectifs ne font pas de différence de nombre.
beau national	beau**x** nation**aux**	Les masculins terminés en *-eau* font le pluriel en *-x* et ceux qui sont terminés en *-al* en *-aux.*

3. Les pronoms

3.1 Les pronoms sujets (leçon 1)

En français, le verbe est obligatoirement accompagné d'un sujet (nom ou pronom) :
Pascal est amoureux, il le raconte à tout le monde.

	SINGULIER	PLURIEL
1re personne	je / j'	nous
2e personne	tu	vous
3e personne	il / elle / on	ils / elles

Si le verbe commence par une voyelle ou un « h » muet, il faut faire la liaison :
Ils_ont envie d'une mousse au chocolat.
Le pronom *on* est toujours suivi d'un verbe à la 3e personne, indépendamment de son sens :
***On** part en Argentine cet été.* (= nous partons)

3.2 Les pronoms toniques (leçon 3)

	SINGULIER	PLURIEL
1re personne	moi	nous
2e personne	toi	vous
3e personne	lui / elle	eux / elles

Ces pronoms permettent surtout de renforcer un autre pronom. Ils apparaissent aussi après le présentatif *c'est*, après la conjonction *et* ou une préposition et dans les structures de la comparaison :
Lise est aussi grande que ***moi.***

3.3 Les pronoms compléments d'objet direct (C.O.D.) (leçon 7)

	SINGULIER	PLURIEL
1re personne	me / m' / moi*	nous
2e personne	te / t' / toi*	vous
3e personne	le / la / l'	les

* Avec des verbes à l'impératif :
*Allez, invitez-**moi** au restaurant !*

*J'appelle ma mère tous les soirs. → Je **l'**appelle tous les soirs.*

Les pronoms C.O.D. précèdent toujours le verbe, sauf à l'impératif affirmatif :
*–Mon travail ? Je ne **l'**ai pas fini aujourd'hui, je **le** finirai demain matin.*
*–OK, mais rends-**le** à 10 heures au plus tard.*

3.4 Les pronoms compléments d'objet indirect (C.O.I.) (leçon 8)

Les pronoms C.O.I. remplacent en général un groupe nominal introduit par la préposition « *à* » :
*Écris à tes amis portugais. → Écris-**leur**.*

	SINGULIER	PLURIEL
1re personne	me / m' / moi*	nous
2e personne	te / t' / toi*	vous
3e personne	lui	leur

Les pronoms C.O.I. précèdent toujours le verbe, sauf à l'impératif affirmatif :
*–Je **lui** ai demandé son adresse et elle **m'**a dit qu'elle partait demain.*
*–Demande-**lui** son numéro de téléphone !*

* Avec des verbes à l'impératif : *Téléphone-**moi** à 20 h et on pourra discuter.*

3.5 Les pronoms réfléchis (leçon 3)

je **me** lave	nous **nous** lavons
tu **te** laves	vous **vous** lavez
il/elle/on **se** lave	ils/elles **se** lavent

je **m'**habille	nous **nous** habillons
tu **t'**habilles	vous **vous** habillez
il/elle/on **s'**habille	ils/elles **s'**habillent

3.6 Les pronoms *en* et *y* (leçons 9 et 10)

EN	**C.O.D.**
	complément de lieu
Y	**complément de lieu**

Le pronom *en*
- remplace un nom précédé d'une expression de quantité :
  *Du thé ? Je n'**en** bois jamais mais mon mari **en** boit des litres !*
- remplace un nom qui indique l'origine :
  *Je ne vais pas aller au marché, j'**en** viens justement !*

Le pronom *y*
- remplace un nom qui indique le lieu où l'on est / où l'on va :
  *Je pars chez ma mère pour **y** rester !*

3.7 Les pronoms relatifs (leçon 11)

Comme les autres pronoms, les pronoms relatifs servent à remplacer des substantifs. En français, le choix du pronom dépend de la fonction du substantif qu'il représente dans la subordonnée.

qui	**sujet**	*La femme **qui** travaille avec moi s'appelle Marlène.*
que / qu'	**C.O.D.**	*Le professeur de français **que** je connais n'est pas belge.*
où	**complément de lieu / temps**	*Le village **où** je suis né n'est pas loin.* *J'attends le jour **où** je serai riche !*

4. Les prépositions

4.1 La situation dans l'espace (leçons 5 et 6)

a) Pour dire où l'on est, où l'on va :
- noms de pays féminins ou noms de pays masculins commençant par une voyelle : *Il habite **en** Espagne mais il est né **en** Colombie. Ils sont allés **en** Irak, puis **en** Afghanistan.*
- noms de pays masculins : *Il travaille **au** Portugal. Il va partir **au** Chili.*
- noms de pays pluriels : *Elle est **aux** États-Unis. Elle rêve d'aller **aux** Antilles.*
- noms de villes : *Elle veut aller **à** Barcelone. Nous résidons pour trois ans **à** Lyon.*

b) Pour dire d'où l'on vient :
- noms de pays féminins : *Il arrive **de** Russie. Elle vient **d'**Allemagne.*
- noms de pays masculins : *Il revient **du** Pérou. Nous sommes partis **du** Maroc.*
- noms de pays pluriels : *Elle revient **des** Seychelles. Je rentrerai **des** Açores à la fin du mois.*
- noms de villes : *Elle ne veut pas rentrer **de** Paris. Ils repartent **d'**Anvers.*

c) Pour situer dans l'espace :

devant / derrière **entre** **à côté de** **sur / sous** **près de / loin de** **chez**	**+**	**nom**

*J'habite **devant** le théâtre* Molière, ***à côté du** restaurant* La gourmandise.

*La pharmacie se trouve **entre** le pressing et l'épicerie.*

*Je ne veux pas aller **chez** le dentiste !*

4.2 Les articles contractés (leçon 4)

***à* + article défini**	***de* + article défini**
+ le = **au**	+ le = **du**
+ la = **à la**	+ la = **de la**
+ l' = **à l'**	+ l' = **de l'**
+ les = **aux**	+ les = **des**

*–Tu m'accompagnes **au** centre commercial ?*
*–Non , je reviens **du** marché. Je vais seulement passer **à la** teinturerie.*
*Le directeur **de l'**usine a parlé aux ouvriers **des** problèmes **de la** restructuration.*

5. Emploi des temps de l'indicatif

5.1 Les présents (leçons 1, 2, 3, 4 et 7)

a) Le présent de l'indicatif sert à indiquer :

- des actions en cours : *Qu'est-ce que je fais ? Je **tape** à l'ordinateur le texte de mon discours.*
- des actions habituelles : *Je **prends** mon petit déjeuner à 8 h 30.*
- des actions futures : *La semaine prochaine, je **pars** aux Seychelles.*

b) L'expression *être en train de*, toujours suivie d'un infinitif, sert à indiquer une action en cours :
*Elle ne peut pas sortir, elle **est en train de** téléphoner.*

5.2 Les futurs (leçons 4, 7 et 11)

Pour parler de l'avenir vous pouvez utiliser le présent, le **futur simple** (leçon 11), le **futur proche** (leçon 4) ou l'expression ***être sur le point de*** (leçon 7). Comment choisir ?

a) Pour indiquer des événements proches :
*Nous **allons partir** dans deux minutes.* (futur proche)
*Va ouvrir la porte, je **suis sur le point de** partir. (être sur le point de)*

b) Pour donner des ordres, des conseils, des consignes :
*Maintenant on **va chanter** une chanson !* (futur proche)
*Vous ne **sortirez** pas demain !* (futur simple)

c) Pour faire des prévisions, des promesses :
*Selon la météo, cet après-midi il **va pleuvoir** mais je crois qu'il **fera** beau demain.* (futur proche, futur simple)

Le **futur proche** se conjugue avec une forme du verbe *aller* au présent + l'infinitif du verbe à conjuguer.
Ne confondez pas :
Il va à la boucherie. (présent du verbe *aller* suivi de préposition)
Il va acheter de la viande. (futur proche du verbe *acheter*)

L'expression ***être sur le point de*** est toujours suivie d'un infinitif. Alors que le futur proche remplace souvent le futur simple, *être sur le point de* sert toujours à indiquer des événements immédiats.

5.3 Les passés (leçons 5, 7 et 8)

Pour parler du passé vous pouvez utiliser le **passé récent** (leçon 5) ou le **passé composé** (leçons 7 et 8).

a) Le passé récent

Il se forme avec *venir* au présent + la préposition *de* + l'infinitif du verbe que l'on conjugue.
Il sert à indiquer la proximité dans le passé :

*Je **viens d'**acheter cette jupe, tu aimes ?*

b) Le passé composé

Il sert à parler de faits, d'événements ou d'actions qui ont eu lieu dans un passé proche ou lointain :

*Il **est né** en 1952 mais il **a connu** son père seulement la semaine dernière.*

Le passé composé se forme avec un auxiliaire (*être* ou *avoir*) au présent + le participe passé du verbe que l'on conjugue :

*Sophie **a reçu** un coup de fil à six heures et elle **est sortie** à sept heures.*

La plupart des verbes se conjuguent avec l'auxiliaire *avoir*. Tous les verbes pronominaux et un petit groupe de 14 verbes prennent l'auxiliaire *être* ; le participe passé doit alors s'accorder en genre et en nombre avec le sujet :

*Sophie est sorti**e** et elle n'est pas encore rentré**e**. Ses parents sont allé**s** la chercher.*

c) L'imparfait

Il sert à décrire des états et des situations dans le passé.

*En 1952, son père **était** marin, il **travaillait** toujours à l'étranger.*
*Un jour, je **mettais** de l'ordre et j'ai trouvé sa lettre.*

6. Emploi de l'impératif

L'impératif sert à donner des ordres, des consignes, des conseils, à interdire... (leçons 5 et 6) :

***Assieds-toi** et **mange** !*
***Ne marchez pas** sur la pelouse.*

7. Le style indirect

discours direct		**discours indirect** (leçon 8)
Tu veux y aller ?	→	Il demande **si** je - il / elle veux y aller.
Comment fait-elle ?	→	Il demande **comment** elle fait.
Qu'est-ce que vous voulez faire ?	→	Elle veut savoir **ce que** nous voulons - vous voulez faire.
Nous sommes les meilleures !	→	Elles disent **qu'**elles sont les meilleures.
Arrête un peu !	→	Il lui demande **d'**arrêter.

INFINITIF	PRÉSENT	FUTUR SIMPLE	IMPÉRATIF	PASSÉ COMPOSÉ	IMPARFAIT
AVOIR	j'ai tu as il/elle/on a nous avons vous avez ils/elles ont	j'aurai tu auras il/elle/on aura nous aurons vous aurez ils/elles auront	aie ayons ayez	j'ai eu tu as eu il/elle/on a eu nous avons eu vous avez eu ils/elles ont eu	j'avais tu avais il/elle/on avait nous avions vous aviez ils/elles avaient
ÊTRE	je suis tu es il/elle/on est nous sommes vous êtes ils/elles sont	je serai tu seras il/elle/on sera nous serons vous serez ils/elles seront	sois soyons soyez	j'ai été tu as été il/elle/on a été nous avons été vous avez été ils/elles ont été	j'étais tu étais il/elle/on était nous étions vous étiez ils/elles étaient
AIMER	j'aime tu aimes il/elle/on aime nous aimons vous aimez ils/elles aiment	j'aimerai tu aimeras il/elle/on aimera nous aimerons vous aimerez ils/elles aimeront	aime aimons aimez	j'ai aimé tu as aimé il/elle/on a aimé nous avons aimé vous avez aimé ils/elles ont aimé	j'aimais tu aimais il/elle/on aimait nous aimions vous aimiez ils/elles aimaient
ALLER	je vais tu vas il/elle/on va nous allons vous allez ils/elles vont	j'irai tu iras il/elle/on ira nous irons vous irez ils/elles iront	va allons allez	je suis allé(e) tu es allé(e) il/elle/on est allé(e)(s) nous sommes allé(e)s vous êtes allé(e)(s) ils/elles sont allé(e)s	j'allais tu allais il/elle/on allait nous allions vous alliez ils/elles allaient
APPELER	j'appelle tu appelles il/elle/on appelle nous appelons vous appelez ils/elles appellent	j'appellerai tu appelleras il/elle/on appellera nous appellerons vous appellerez ils/elles appelleront	appelle appelons appelez	j'ai appelé tu as appelé il/elle/on a appelé nous avons appelé vous avez appelé ils/elles ont appelé	j'appelais tu appelais il/elle/on appelait nous appelions vous appeliez ils/elles appelaient
S'ASSEOIR	je m'assieds tu t'assieds il/elle/on s'assied nous nous asseyons vous vous asseyez ils/elles s'asseyent	je m'assiérai tu t'assiéras il/elle/on s'assiéra nous nous assiérons vous vous assiérez ils/elles s'assiéront	assieds-toi asseyons-nous asseyez-vous	je me suis assis(e) tu t'es assis(e) il/elle/on s'est assis(e)(s) nous nous sommes assis(es) vous vous êtes assis(es) ils/elles se sont assis(es)	je m'asseyais tu t'asseyais il/elle/on s'asseyait nous nous asseyions vous vous asseyiez ils/elles s'asseyaient
ATTENDRE (RÉPONDRE, PERDRE)	j'attends tu attends il/elle/on attend nous attendons vous attendez ils/elles attendent	j'attendrai tu attendras il/elle/on attendra nous attendrons vous attendrez ils/elles attendront	attends attendons attendez	j'ai attendu tu as attendu il/elle/on a attendu nous avons attendu vous avez attendu ils/elles ont attendu	j'attendais tu attendais il/elle/on attendait nous attendions vous attendiez ils/elles attendaient
BOIRE	je bois tu bois il/elle/on boit nous buvons vous buvez ils/elles boivent	je boirai tu boiras il/elle/on boira nous boirons vous boirez ils/elles boiront	bois buvons buvez	j'ai bu tu as bu il/elle/on a bu nous avons bu vous avez bu ils/elles ont bu	je buvais tu buvais il/elle/on buvait nous buvions vous buviez ils/elles buvaient

INFINITIF	PRÉSENT	FUTUR SIMPLE	IMPÉRATIF	PASSÉ COMPOSÉ	IMPARFAIT
CHOISIR	je choisis tu choisis il/elle/on choisit nous choisissons vous choisissez ils/elles choisissent	je choisirai tu choisiras il/elle/on choisira nous choisirons vous choisirez ils/elles choisiront	 choisis choisissons choisissez	j'ai choisi tu as choisi il/elle/on a choisi nous avons choisi vous avez choisi ils/elles ont choisi	je choisissais tu choisissais il/elle/on choisissait nous choisissions vous choisissiez ils/elles choisissaient
COMMENCER	je commence tu commences il/elle/on commence nous commençons vous commencez ils/elles commencent	je commencerai tu commenceras il/elle/on commencera nous commencerons vous commencerez ils/elles commenceront	 commence commençons commencez	j'ai commencé tu as commencé il/elle/on a commencé nous avons commencé vous avez commencé ils/elles ont commencé	je commençais tu commençais il/elle/on commençait nous commencions vous commenciez ils/elles commençaient
CONNAÎTRE (NAÎTRE)	je connais tu connais il/elle/on connaît nous connaissons vous connaissez ils/elles connaissent	je connaîtrai tu connaîtras il/elle/on connaîtra nous connaîtrons vous connaîtrez ils/elles connaîtront	 connais connaissons connaissez	j'ai connu tu as connu il/elle/on a connu nous avons connu vous avez connu ils/elles ont connu	je connaissais tu connaissais il/elle/on connaissait nous connaissions vous connaissiez ils/elles connaissaient
DEVOIR	je dois tu dois il/elle/on doit nous devons vous devez ils/elles doivent	je devrai tu devras il/elle/on devra nous devrons vous devrez ils/elles devront		j'ai dû tu as dû il/elle/on a dû nous avons dû vous avez dû ils/elles ont dû	je devais tu devais il/elle/on devait nous devions vous deviez ils/elles devaient
DIRE (INTERDIRE)	je dis tu dis il/elle/on dit nous disons vous dites ils/elles disent	je dirai tu diras il/elle/on dira nous dirons vous direz ils/elles diront	 dis disons dites	j'ai dit tu as dit il/elle/on a dit nous avons dit vous avez dit ils/elles ont dit	je disais tu disais il/elle/on disait nous disions vous disiez ils/elles disaient
DORMIR	je dors tu dors il/elle/on dort nous dormons vous dormez ils/elles dorment	je dormirai tu dormiras il/elle/on dormira nous dormirons vous dormirez ils/elles dormiront	 dors dormons dormez	j'ai dormi tu as dormi il/elle/on a dormi nous avons dormi vous avez dormi ils/elles ont dormi	je dormais tu dormais il/elle/on dormait nous dormions vous dormiez ils/elles dormaient
ÉCRIRE (DÉCRIRE)	j'écris tu écris il/elle/on écrit nous écrivons vous écrivez ils/elles écrivent	j'écrirai tu écriras il/elle/on écrira nous écrirons vous écrirez ils/elles écriront	 écris écrivons écrivez	j'ai écrit tu as écrit il/elle/on a écrit nous avons écrit vous avez écrit ils/elles ont écrit	j'écrivais tu écrivais il/elle/on écrivait nous écrivions vous écriviez ils/elles écrivaient
ESSAYER (PAYER, EMPLOYER)	j'essaie tu essaies il/elle/on essaie nous essayons vous essayez ils/elles essaient	j'essaierai tu essaieras il/elle/on essaiera nous essaierons vous essaierez ils/elles paieront	 essaie essayons essayez	j'ai essayé tu as essayé il/elle/on a essayé nous avons essayé vous avez essayé ils/elles ont essayé	j'essayais tu essayais il/elle/on essayait nous essayions vous essayiez ils/elles essayaient

INFINITIF	PRÉSENT	FUTUR SIMPLE	PRÉSENT	PASSÉ COMPOSÉ	IMPARFAIT
FAIRE (DÉFAIRE, REFAIRE)	je fais tu fais il/elle/on fait nous faisons vous faites ils/elles font	je ferai tu feras il/elle/on fera nous ferons vous ferez ils/elles feront	fais faisons faites	j'ai fait tu as fait il/elle/on a fait nous avons fait vous avez fait ils/elles ont fait	je faisais tu faisais il/elle/on faisait nous faisions vous faisiez ils/elles faisaient
FALLOIR	il faut	il faudra		il a fallu	il fallait
FINIR	je finis tu finis il/elle/on finit nous finissons vous finissez ils/elles finissent	je finirai tu finiras il/elle/on finira nous finirons vous finirez ils/elles finiront	finis finissons finissez	j'ai fini tu as fini il/elle/on a fini nous avons fini vous avez fini ils/elles ont fini	je finissais tu finissais il/elle/on finissait nous finissions vous finissiez ils/elles finissaient
SE LEVER	je me lève tu te lèves il/elle/on se lève nous nous levons vous vous levez ils/elles se lèvent	je me lèverai tu te lèveras il/elle/on se lèvera nous nous lèverons vous vous lèverez ils/elles se lèveront	lève-toi levons-nous levez-vous	je me suis levé(e) tu t'es levé(e) il/elle/on s'est levé(e) nous nous sommes levé(e)s vous vous êtes levé(e)(s) ils/elles se sont levé(e)s	je me levais tu te levais il/elle/on se levait nous nous levions vous vous leviez ils/elles se levaient
LIRE (TRADUIRE sauf aux temps composés : j'ai traduit)	je lis tu lis il/elle/on lit nous lisons vous lisez ils/elles lisent	je lirai tu liras il/elle/on lira nous lirons vous lirez ils/elles liront	lis lisons lisez	j'ai lu tu as lu il/elle/on a lu nous avons lu vous avez lu ils/elles ont lu	je lisais tu lisais il/elle/on lisait nous lisions vous lisiez ils/elles lisaient
MANGER	je mange tu manges il/elle/on mange nous mangeons vous mangez ils/elles mangent	je mangerai tu mangeras il/elle/on mangera nous mangerons vous mangerez ils/elles mangeront	mange mangeons mangez	j'ai mangé tu as mangé il/elle/on a mangé nous avons mangé vous avez mangé ils/elles ont mangé	je mangeais tu mangeais il/elle/on mangeait nous mangions vous mangiez ils/elles mangeaient
METTRE	je mets tu mets il/elle/on met nous mettons vous mettez ils/elles mettent	je mettrai tu mettras il/elle/on mettra nous mettrons vous mettrez ils/elles mettront	mets mettons mettez	j'ai mis tu as mis il/elle/on a mis nous avons mis vous avez mis ils/elles ont mis	je mettais tu mettais il/elle/on mettait nous mettions vous mettiez ils/elles mettaient
OUVRIR (OFFRIR, DÉCOUVRIR)	j'ouvre tu ouvres il/elle/on ouvre nous ouvrons vous ouvrez ils/elles ouvrent	j'ouvrirai tu ouvriras il/elle/on ouvrira nous ouvrirons vous ouvrirez ils/elles ouvriront	ouvre ouvrons ouvrez	j'ai ouvert tu as ouvert il/elle/on a ouvert nous avons ouvert vous avez ouvert ils/elles ont ouvert	j'ouvrais tu ouvrais il/elle/on ouvrait nous ouvrions vous ouvriez ils/elles ouvraient
PARTIR	je pars tu pars il/elle/on part nous partons vous partez ils/elles partent	je partirai tu partiras il/elle/on partira nous partirons vous partirez ils/elles partiront	pars partons partez	je suis parti(e) tu es parti(e) il/elle/on est parti(e)(s) nous sommes parti(e)s vous êtes parti(e)(s) ils/elles sont parti(e)s	je partais tu partais il/elle/on partait nous partions vous partiez ils/elles partaient

INFINITIF	PRÉSENT	FUTUR SIMPLE	IMPÉRATIF	PASSÉ COMPOSÉ	PASSÉ COMPOSÉ
PLEUVOIR	il pleut	il pleuvra		il a plu	il pleuvait
PRENDRE (APPRENDRE, COMPRENDRE)	je prends tu prends il/elle/on prend nous prenons vous prenez ils/elles prennent	je prendrai tu prendras il/elle/on prendra nous prendrons vous prendrez ils/elles prendront	prends prenons prenez	j'ai pris tu as pris il/elle/on a pris nous avons pris vous avez pris ils/elles ont pris	je prenais tu prenais il/elle/on prenait nous prenions vous preniez ils/elles prenaient
POUVOIR	je peux tu peux il/elle/on peut nous pouvons vous pouvez ils/elles peuvent	je pourrai tu pourras il/elle/on pourra nous pourrons vous pourrez ils/elles pourront		j'ai pu tu as pu il/elle/on a pu nous avons pu vous avez pu ils/elles ont pu	je pouvais tu pouvais il/elle/on pouvait nous pouvions vous pouviez ils/elles pouvaient
SAVOIR	je sais tu sais il/elle/on sait nous savons vous savez ils/elles savent	je saurai tu sauras il/elle/on saura nous saurons vous saurez ils/elles sauront	sache sachons sachez	j'ai su tu as su il/elle/on a su nous avons su vous avez su ils/elles ont su	je savais tu savais il/elle/on savait nous savions vous saviez ils/elles savaient
SUIVRE	je suis tu suis il/elle/on suit nous suivons vous suivez ils/elles suivent	je suivrai tu suivras il/elle/on suivra nous suivrons vous suivrez ils/elles suivront	suis suivons suivez	j'ai suivi tu as suivi il/elle/on a suivi nous avons suivi vous avez suivi ils/elles ont suivi	je suivais tu suivais il/elle/on suivait nous suivions vous suiviez ils/elles suivaient
VENIR (DEVENIR, REVENIR)	je viens tu viens il/elle/on vient nous venons vous venez ils/elles viennent	je viendrai tu viendras il/elle/on viendra nous viendrons vous viendrez ils/elles viendront	viens venons venez	je suis venu(e) tu es venu(e) il/elle/on est venu(e)(s) nous sommes venu(e)s vous êtes venu(e)(s) ils/elles sont venu(e)s	je venais tu venais il/elle/on venait nous venions vous veniez ils/elles venaient
VIVRE	je vis tu vis il/elle/on vit nous vivons vous vivez ils/elles vivent	je vivrai tu vivras il/elle/on vivra nous vivrons vous vivrez ils/elles vivront	vis vivons vivez	j'ai vécu tu as vécu il/elle/on a vécu nous avons vécu vous avez vécu ils/elles ont vécu	je vivais tu vivais il/elle/on vivait nous vivions vous viviez ils/elles vivaient
VOIR	je vois tu vois il/elle/on voit nous voyons vous voyez ils/elles voient	je verrai tu verras il/elle/on verra nous verrons vous verrez ils/elles verront	vois voyons voyez	j'ai vu tu as vu il/elle/on a vu nous avons vu vous avez vu ils/elles ont vu	je voyais tu voyais il/elle/on voyait nous voyions vous voyiez ils/elles voyaient
VOULOIR	je veux tu veux il/elle/on veut nous voulons vous voulez ils/elles veulent	je voudrai tu voudras il/elle/on voudra nous voudrons vous voudrez ils/elles voudront		j'ai voulu tu as voulu il/elle/on a voulu nous avons voulu vous avez voulu ils/elles ont voulu	je voulais tu voulais il/elle/on voulait nous voulions vous vouliez ils/elles voulaient

On trouvera ici les transcriptions des enregistrements dont le texte ne figure pas dans les leçons, bilans exceptés.

UNITÉ 0 : « Premiers contacts »

Page 11, n° 5

V - E - R - S - A - I - 2 L - E - S
H - O - N - F - L - E - U - R
J - U - A - N trait d'union L - E - S trait d'union P - I - N - S

Page 11, n° 6

Hélène aime Hervé. Hervé est occupé.
Hélène est agitée : assez Hervé !
Hervé a cédé, Hélène est émue.

Page 12, n° 10

01 45 77 35 98
91 429 36 04
06 89 29 72 15

Page 12, n° 11

1) le Service Vélocations de Strasbourg : 03 88 52 01 01
2) l'Université de Provence : 04 42 95 32 18
3) l'Aéroport de Paris-Orly : 01 49 75 15 15
4) l'Office de tourisme de Lyon : 04 72 77 69 69
5) la gare routière de Nîmes : 04 66 29 50 62
6) Aix-Taxis : 06 09 53 75 56

UNITÉ 1 : « Les gens »

LEÇON 2

OUVERTURE

Page 26, n° 1

1) C'est qui, le nouveau prof ?
2) Pierre est là !
3) Il a les yeux verts, mais verts !
4) Je te déteste ! Je te déteste ! Tu es très méchant !
5) C'est un enfant charmant !
6) La coupe à la mode ? Les cheveux courts, bouclés, blond vénitien, avec une mèche blanche.
7) J'adore le champagne ! Champagne pour tout le monde !
8) C'est un gros bébé, il pèse 4 kg.
9) C'était le meilleur chien du monde. Je ne sais pas ce que je vais faire sans lui !
10) Mais allez-y, monsieur, continuez ! Vous vous croyez intelligent ? Eh bien, vous êtes stupide !

Page 27, n° 2

1) 2) 3) Elle est jolie ta chemise !

Page 27, n° 3

1) 2) 3) Il est marié !

UNITÉ 2 : « Rythmes de vie »

LEÇON 3

GRAMMAIRE

Page 42, n° 3

1) Elles lisent des romans d'aventures.
2) Il écrit une lettre d'amour.
3) Elle conduit une voiture de sport.
4) Ils ne répondent pas aux questions.
5) Il descend les escaliers.
6) Ils partent à Limoges.
7) Elle met un pantalon à pattes d'éléphant.
8) Ils finissent toujours très tard.

PRONONCIATION

Page 44, n° 1

1) David téléphone à sa mère.
2) Elles vont à l'aéroport en taxi ?
3) Vous êtes en retard.
4) Elle ne sait pas préparer la bouillabaisse ?
5) Je me suis trompé de numéro.
6) Tu fais du bricolage le week-end ?
7) Philippe veut se marier en septembre.
8) Nous allons au restaurant ?

CIVILISATION

Page 45, n° 2

1) Dans la capitale de ce pays, il y a une statue très célèbre : c'est un enfant, un peu gros, tout gris, il a les cheveux courts et bouclés, il mesure 30 cm, il est debout et il fait pipi.
2) Son musée océanographique est le plus grand d'Europe et son circuit automobile pour rallyes est très connu.
3) Un grand duc gouverne ce pays qu'on traverse en deux heures.
4) Jean Monnet, un des pères de l'Europe, est né dans ce pays baigné par deux mers et un océan.
5) La constitution de ce pays est très jeune et la deuxième syllabe de son nom se prononce comme une forme conjuguée du verbe *dormir.*
6) C'est une confédération de cantons qui présente la particularité de reconnaître quatre langues officielles (italien, romanche, allemand, français).

LEÇON 4

PRONONCIATION

Page 54, n° 1

1) Qu'est-ce qu'il est grand !
2) Assieds-toi sur ce banc.
3) Qu'est-ce qu'il vend ?
4) Il aime les chiens mais il préfère les chats.
5) Où est-ce qu'il va ?
6) Il a gagné le gros lot.
7) Qu'est-ce qu'ils font ?
8) Je mange de la viande de veau.
9) Ce que tu dis est faux.
10) Tu n'aimes pas les bonbons.
11) Sophie est dans son bain.
12) Tu n'as pas faim ?
13) Salut ! Je m'en vais.
14) Tu manges trop de pain.
15) Il habite 5 rue de la Paix.

PROJET 1 : « Bientôt Noël »

Page 61, n° 5

Document n° 1

–Tu commences, Florine ?
–Oui, pour nous, à la Réunion, à Noël, il fait chaud et comme c'est l'été, on a tous les fruits exotiques, les mangues... et surtout... le fruit principal, les litchis.
–Oh oui, les litchis, mmm, c'est le dessert traditionnel pour Noël et pour le Nouvel An.
–Et on mange aussi du porc, des grillades, des langoustes.
–Chez moi, si on mange de la viande à Noël, on mange des crustacés pour le Nouvel An.
–Le 25 décembre, nous, les jeunes, on va danser mais pas en discothèque, on décore une salle pour l'occasion. Et Noël, c'est le jour des cadeaux pour les enfants.
–Et, en général, les cadeaux pour les parents et les grand-parents, c'est le 1er janvier.
–Oui, chez moi aussi.

Document n° 2

Le repas de Noël, chez nous, en Belgique, se fait le soir du 24 décembre en famille. On mange traditionnellement la dinde, mais pas aux marrons comme en France, et la bûche de Noël. On met les cadeaux au pied d'un sapin décoré et on les ouvre à minuit. Il y a aussi la messe de minuit pour les familles catholiques. Le 25, par contre, on ne fait rien de spécial, on se repose. On sort le jour de l'An. Mais dans ma famille, ma grand-mère nous invite le 1er janvier et elle fait des gaufres en forme de cœurs. Ah, autre chose, le champagne accompagne tous ces moments de fête.

Document n° 3

–Dis, grand-mère, raconte encore Noël en Suisse !
–Un vrai Noël en Suisse c'est un Noël blanc, avec de la neige partout. Tout le monde, petits et grands, décore le sapin.
–Et qu'est-ce qu'on met ?
–Des boules qui brillent, des guirlandes et... et... des objets en chocolat emballés dans du papier doré.
–Et on peut les manger ?
–Non, on doit attendre le jour des Rois Mages.
–Et quoi encore ?
–Le 24 au soir, les enfants mettent leurs chaussures devant la cheminée, ils vont dormir après la messe de minuit et quand ils se réveillent, le 25 décembre...
–On trouve les jouets, les cadeaux du père Noël !
–Oui, et pour le déjeuner, on mange l'oie rôtie et pour le dessert, la bûche.

UNITÉ 3 : « Lieux »

LEÇON 5

PRONONCIATION

Page 68, n° 1

1) Il est sûr.
2) C'est la roue.
3) Il dit *tu*.
4) Quel lit !
5) Tout va bien ?

Page 68, n° 2

1) Muriel dit qu'elle arrive samedi à midi.
2) Arthur ! Où es-tu ?
3) Vous êtes sûrs que Julie est partie ?
4) Tu as dit *deux* ou *douze* ?

LEÇON 6

PRONONCIATION

Page 78, n° 1

a) [e] / [ɛ] : 1) mes / mes 2) des / dès 3) sait / sait 4) lait / les 5) fait / fait 6) prés / près 7) épais / épée 8) clair / clair
b) [e] / [ø] : 1) peu / peu 2) des / deux 3) ceux / ses 4) vœux / vœux 5) nez / nœud 6) jeu / jeu 7) tes / tes 8) fée / fée

UNITÉ 4 : « Le temps qui passe »

LEÇON 7

SITUATION 1 : « 20 ANS APRÈS ! »

Page 86, n° 1

–Ça alors ! Mais c'est Jean Lenoir ! ? ?
–Oui ! Georges ! Qu'est-ce que tu fais ici ? Tu habites à Poitiers, maintenant ?
–Non, non, je suis venu voir mes parents ! Je suis arrivé ce matin et je pars lundi prochain. Mais... et toi ? Comment vas-tu ? Très bien... Mais dis, il y a combien de temps qu'on ne s'est pas vus ?
–Voyons... 20 ans environ... Mais tu sais que tu n'as pas changé !
–Toi non plus... Quelques kilos de plus... mais c'est normal ! Dis-moi, qu'est-ce que tu es devenu, l'intellectuel ?
–Eh bien, après le Bac, je suis parti à Marseille, à la fac, et j'ai fait une licence de maths. Maintenant, je suis professeur dans un lycée, dans l'Est, près de Strasbourg ! Et toi ? Toujours sportif ?
–Un peu moins maintenant ! Eh ben moi, j'ai pas fait d'études universitaires... j'ai pas voulu ! J'ai préféré le commerce... J'ai repris le bureau de tabac de mon père.
–Très bien et dis-moi : tu es marié ? Tu as des enfants ?
–Oui, je me suis marié très jeune et j'ai eu deux enfants : un garçon et une fille.
–Moi non ; je n'ai pas eu de chance en amour !
–Mais t'inquiète pas ! Tu es jeune, beau ! Oh, midi dix ! Dis, excuse-moi, je suis pressé ! Je vais chercher mon fils à l'école... Voilà ma carte de visite. Téléphone-moi ! ! Je voudrais te présenter ma femme et mes enfants !
–Oh, avec plaisir ! Entendu, je te passe un coup de fil !

PRONONCIATION

Page 90, n° 2

a) [ɛ] / [œ] : 1) sel / seul 2) peur / père 3) serre / serre 4) l'air / l'heure 5) meurt / meurt 6) coeur / Caire 7) mêle / mêle 8) neuf / nef
b) [ɔ] / [œ] : 1) bord / beurre 2) soeur / sors 3) dort / dort 4) port / port 5) Laure / leur 6) seul / sol 7) corps / corps 8) meurt / mort
c) [o] / [ɔ] : 1) mort / mot 2) pot / pot 3) port / pot 4) corps / corps 5) faux / faux 6) tord / tôt 7) sort / seau 8) lot / lot

LEÇON 8

PRONONCIATION

Page 100, n° 2

a) [b] / [v] : 1) vol / vol 2) avis / habit 3) bas / vas 4) voir / boire 5) vent / banc
b) [b] / [p] : 1) beurre / peur 2) poids / bois 3) bas / bas 4) broche / proche 5) plomb / plomb
c) [v] / [f] : 1) neuf / neuf 2) vert / fer 3) font / font 4) voeux / voeux 5) vous / fous

Page 100, n° 3

1) Pierre porte le paquet à la poste.
2) Le bébé boit son biberon.
3) Philippe fait des efforts.
4) Valérie vit sa vie à Versailles.
5) Arbre, mon ami vert, ne pars pas en enfer !

COMPÉTENCES

Page 103, n° 4

a) –Qu'est-ce que vous pensez de faire une pause pendant le cours de français ?
–Moi, je suis totalement pour, c'est bien de s'arrêter un peu...
–Ah non, je ne suis pas d'accord ! J'arrive tard en cours à cause de mon travail, alors si on fait une pause...
–Moi, je dis que ça dépend.
–À mon avis, Rémi a raison : dix minutes pour prendre un café ou fumer une cigarette, c'est pas mal...
–Je propose une chose : on vote et on décide après.
–Bonne idée !

b) –Monsieur, êtes-vous pour ou contre le tabac ?
–Moi, d'abord, je dis que le tabac n'est pas bon pour la santé, ensuite que c'est un vice qui revient cher, enfin que c'est doublement ruineux.
–Pardon, vous pouvez répéter ?
–Euh, euh, eh bien, je veux dire que c'est un, une double...
–Un moment, pour moi le problème ne se situe pas là...

PROJET 2 : « Présentations »

Page 110, n° 4

1) Mon nom, c'est Luigi Macarona. Ah non, pas macaroni ! Susceptible, moi ? Non. En plus, j'adore les pâtes ! C'est d'ailleurs mon métier : j'ai un restaurant italien, ici, à Paris, dans le XVIIIe arrondissement. J'habite ici depuis la fin de mes études, il y a 10 ans. J'adore Paris ! C'est la « ville lumière » ! Ici, c'est comme en Italie, il y a tout ce que j'aime : la bonne cuisine et l'art. Je passe mon temps libre dans les salles d'exposition. Il manque juste le soleil et la chaleur ! J'aime aussi beaucoup flâner au bord de la Seine.
2) Je m'appelle Mike, je suis américain et j'ai 33 ans. Je suis à Strasbourg pour un an et je vis avec une Française. J'aime bien la France, mais je déteste les petits déjeuners français ! Je suis photographe et je travaille avec un journaliste, Stéphane. J'apprécie beaucoup son travail. En ce moment,

on prépare un reportage sur le vélo à Strasbourg. J'aime beaucoup me promener dans Strasbourg qui est une ville très cosmopolite et pleine de charme.

3) Bonjour, je m'appelle Elena et je suis espagnole. J'ai deux passions : le français et le paysagisme. C'est pourquoi je suis ici, à Montpellier, où je fais un stage auprès d'un architecte urbaniste. C'est passionnant ! Je suis à la cité U, comme disent les Français, c'est-à-dire en chambre universitaire. C'est bien parce que je rencontre beaucoup de monde ! Mais la cuisine de la fac n'est vraiment pas bonne !
4) Mon nom, c'est Karim, je suis palestinien. Je suis tombé amoureux d'une Française pendant mes études d'économie. Je vis à Marseille, près du vieux port. J'adore ce quartier ! Je ne peux pas vivre sans la mer à côté ! Je suis aussi moniteur de natation et le week-end, je fais de la plongée sous-marine.

UNITÉ 5 : « Achats »

LEÇON 9

PRONONCIATION

Page 116, n° 2

1) quiche 2) jambon 3) fromage
4) charcuterie 5) justement 6) acheter
7) chèque 8) passage

LEÇON 10

PRONONCIATION

Page 126, n° 2

1) Les hommes d'aujourd'hui.
2) Il n'a pas de sel.
3) C'est son cousin.
4) Il y a deux phases.
5) Elle achète des poissons.
6) C'est un grand désert.

Page 126, n° 3

1) Ils ont assisté au spectacle.
2) Cyril habite dans un studio.
3) Sylvie n'aime pas faire du sport.
4) C'est un scandale !
5) Il a décidé de faire un stage en entreprise.

UNITÉ 6 : « Voyages / Projets »

LEÇON 11

PRONONCIATION

Page 138, n° 1

1) chou, joue, sous
2) assez, âgé, haché
3) cage, casse, cache
4) douche, douze, douce
5) asile, agile, Achille

Page 138, n° 2

1) Ces saucissons sont trop secs, je n'en veux pas !
2) Jeanne est charmante mais elle bouge un peu trop !
3) Vous avez raison, nos cousins ne s'aiment pas.
4) Il neige et le chat s'abrite sous le porche.

COMPÉTENCES

Page 141, n° 4

Paul, c'est Rose. Je te téléphone pour t'inviter à dîner à la maison samedi soir, vers 8 heures. Il y aura Sylvie et Rémi aussi. Tu viendras ? Rappelle-moi. Salut !

LEÇON 12

Page 149, n° 6

Dialogue n° 1

Amélie : Allô, Françoise, c'est Amélie. Ça va ?
Françoise : Oui, ça va. Tu as vu le temps qu'il fait, bientôt l'été ! Tu pars au Vietnam ?
Amélie : Oui, je te téléphone pour ça.
Françoise : Oui, je sais, Agnès me l'a dit. Attends une minute, je vais chercher mon carnet de voyages.
Amélie : D'accord.
Françoise : Alors, la première chose, il faut un visa.
Amélie : Oui, je me suis renseignée, j'ai téléphoné à l'ambassade.
Françoise : Compte une semaine pour l'avoir. Vous allez arriver où ?
Amélie : À Ho Chi Minh-ville, et on repartira d'Hanoï.
Françoise : Alors réservez-vous trois jours minimum pour faire le delta du Mékong, ça vaut la peine, mais prépare-toi pour les moustiques, c'est infernal !
Amélie : Je note ça. Et qu'est ce qu'il y a comme endroits à voir ?
Françoise : Il y en a beaucoup, c'est un beau pays, très vert. Hue, la ville impériale, est très jolie mais on a beaucoup marché pour tout voir.
Amélie : Et la nourriture ?
Françoise : On mange bien, asiatique, et pour pas cher. De toute façon, si tu veux, passe un soir de la semaine prochaine, je t'expliquerai plus en détail et je te donnerai les adresses que j'ai.
Amélie : Oh, merci ! C'est sympa, je te rappelle lundi ou mardi.

Dialogue n° 2

Raphaël : Salut les filles, ça va ? J'ai pu passer à l'agence ce matin, la réservation est confirmée pour le billet-aller mais pas encore pour le retour.
Olivia : Et quand on le saura ?
Raphaël : Normalement, la semaine prochaine.
Amélie : Oui, on a pas mal de choses à faire : demander des travellers, l'itinéraire, la trousse à pharmacie, voir s'il y a des vaccinations obligatoires, les choses à emporter.
Olivia : Il y a aussi le problème du visa mais le plus urgent, c'est le service de médecine tropicale. C'est l'époque où tout le monde y va se faire vacciner, on n'aura peut-être pas un rendez-vous immédiatement. On se partage le travail ?
Raphaël : Tout à fait d'accord : moi, c'est les billets. Qui s'occupe de la partie sanitaire ?
Olivia : Je m'en occupe, si vous voulez. Et toi, Amélie ?
Amélie : Bon, je prépare la liste des choses à emporter. Françoise recommande des vêtements en coton et légers parce qu'il fait une chaleur tropicale.
Raphaël : Maintenant on parle de l'itinéraire.
Amélie : L'itinéraire, à mon avis, c'est simple : on arrive à Saïgon et on doit aller jusqu'à Hanoï, alors on visite le pays entre les deux.
Raphaël : Oui, mais tu veux passer plus de temps dans le sud, dans le nord ?
Olivia : Moi, j'aimerais bien aller jusqu'à Sapa, voir l'intérieur du pays.
Amélie : Pas moi, je préfère la côte. Mon rêve : me baigner dans la baie d'Halong.
Olivia : On parle encore français là-bas ?
Amélie : Non, pas beaucoup, sauf les gens âgés, on compte sur toi pour l'anglais.
Raphaël : Excusez, mais je dois partir... On en reparle samedi.

Imprimé en France par I.M.E. - 25110 Baume-les-Dames
Dépôt légal : Mars 2007 - N° d'éditeur : 10140767